FOLIO JUNIOR

Claude Gutman
RUE DE PARIS

Illustrations
de Philippe Mignon

Gallimard Jeunesse

A ma mère
A mon père,
passagers clandestins.

Aux enfants du kibboutz
Sedot-Yam dont j'ai été.

A Montreuil-sous-Bois
et sa rue de Paris.

J'aurais voulu oublier le regard désemparé de madame Brenner lorsqu'elle a fermé sa porte, mes larmes qui n'ont pas voulu couler, le temps que j'ai mis pour regagner Montreuil, les rues que j'ai empruntées.

J'aurais voulu oublier le jeune homme, tout petit garçon, à qui l'on venait d'annoncer la mort de ses parents.

Mes parents. Lazare et Clara, eux qui ne m'ont pas dit adieu, pas même au revoir, partis un matin de juillet, à l'aube naissante, leurs valises à la main, encadrés par des policiers français jusqu'au Vélodrome d'Hiver. Vel' d'Hiv en raccourci, lieu magique dans ma mémoire de gosse, gigantesque espace de lumières, de bruits, d'accordéon quand tournoyaient les Six Jours et que papa me prenait la main, la serrait, la relâchait pour applaudir l'équipe victorieuse d'un sprint intermédiaire. Il m'embrassait. Sa voix toute chantante de yiddish m'enveloppait pour me dire que « c'en était bien les plis meilleurs ». Maman m'embrassait aussi au retour, heureuse que je sois heureux et « tu dois être fatigué mon trésor ».

Je ne voulais me souvenir que de ces instants tout bêtes, tout simples, qui effaçaient ce que je venais d'apprendre.

Maman, papa, dites-moi que ce n'est pas vrai, dites que vous n'êtes pas partis trois années, hurlez-moi que vous n'êtes pas morts.

Je n'ai pas voulu me souvenir qu'il ne me restait que leur photo, pincée entre le pouce et l'index, dans une lente marche vacillante vers la rue de Paris, à Montreuil.

Je n'ai pas voulu… Mais quelle force, si puissante soit-elle, peut étouffer le souvenir ?

Je me souviens.

Dans la tiédeur d'un soir de mai, à l'angle de *ma* rue, de *leur* rue, pourquoi, comment, ces quelques vers sont-ils revenus me chuchoter que je venais de reprendre connaissance ?

Le mai le joli mai en barque sur le Rhin
Des dames regardaient du haut de la montagne
Vous êtes si jolies mais la barque s'éloigne
Qui donc a fait pleurer les saules riverains

C'était saugrenu. C'était ainsi. Je me suis surpris à jongler avec quatre alexandrins oubliés, mélodieux, qui n'avaient rien à faire le long du mur de briques rouges, juste avant ma porte cochère. J'ai fourré la photo de mes parents dans ma poche arrière. Je me suis élancé dans l'escalier. La porte de madame Bianchotti était entrouverte. Elle avait dû espionner mon retour de chez les Brenner et trottiner s'asseoir, droite, sur sa chaise, dans la salle à manger.

J'ai claqué la porte d'une petite ruade. J'ai découvert

deux visages interrogateurs. Monsieur Rosenberg était là lui aussi. Ils avaient attendu un seul après-midi ce que j'avais attendu trois longues années. Ils pouvaient attendre encore. Je me suis raidi. J'ai souri : pure provocation.

Ils se sont levés les larmes aux yeux, un bonheur fou sur le visage, et ils m'ont enlacé. C'est moi qui les ai pris dans mes bras tandis qu'ils pleuraient de tendresse contre mon corps. C'est moi qui ai caressé leurs cheveux, lentement, doucement, jusqu'à ce qu'ils remercient Dieu. Chacun le leur. L'un n'avait pas d'accent, l'autre devait parler comme mon père. Bonheur fou des deux seuls rescapés de mon enfance, de mon tout jeune passé de dix-sept ans. Madame Bianchotti m'avait sauvé la vie. J'étais caché chez elle le jour de la rafle. Monsieur Rosenberg, lui, m'avait recueilli, donné du travail, encouragé, réconforté les longs jours de découragement dans son magasin de fourrure à mon retour du maquis. Ils étaient heureux pour moi, pour eux. Ils reverraient Lazare et Clara Grunbaum puisque j'avais souri.

J'étais pitoyable devant la glace, les regardant m'embrasser, me caresser le visage, pousser des soupirs de fin de cauchemar.

Ils se sont lentement détachés. Ils ont regagné leur chaise, épuisés, guettant un éclair de joie dans mes yeux. Rien n'est venu. J'étais seul avec mon sourire-mensonge au milieu de la salle à manger. Je les ai regardés sans pouvoir m'excuser, sans pouvoir apaiser leur inquiétude née de mon silence, de ma froideur. J'aurais voulu avouer. Mais comment dire ce que je refusais d'accepter ? Non, mes parents n'étaient pas morts. C'était impossible, même si c'était vrai.

Madame Bianchotti et monsieur Rosenberg attendaient. Combien de fois les avais-je vus ainsi, visages décomposés, pour ce qui m'apparaissait à cet instant-ci comme des riens ? Rien, l'arrestation de mes parents. Rien, mon retour et leur absence. Rien, la spoliation de la boutique et de notre appartement. Aujourd'hui ce n'était vraiment plus rien, plus rien du tout.

L'éternité de quelques secondes. J'ai sorti la photo de Lazare et de Clara. Je me suis approché de la table. Et d'un geste lent j'ai déchiré la photo en deux, sans un mot. Tout était dit. Je me suis assis, j'ai fixé, dans un silence de caveau, le visage de ma mère, le visage de mon père.

Madame Bianchotti s'est signée. Monsieur Rosenberg a posé sa main sur mon épaule. Je me suis dégagé. Ma voix monocorde.

– C'est tout ce qu'il reste d'eux. Monsieur Brenner m'a dit qu'ils étaient à Drancy, puis dans le même convoi que lui. A l'arrivée au camp, papa a voulu tuer un Allemand, maman s'est précipitée. Une rafale de mitraillette a fait le reste.

« Drancy », « Convoi », « Camp » : mots répétés dont je n'ai compris l'horreur qu'au fil des jours, des mois, des ans, des nuits de cauchemar. Trois petits mots et une photo déchirée que mes larmes commençaient à me cacher. Je n'ai pas rejeté le bras puissant de monsieur Rosenberg qui m'a collé contre sa poitrine. J'ai trouvé une cache pour assommer ma détresse tandis que je sentais ses larmes mouiller mes cheveux. Quelques minutes d'oubli. Une miette de chaleur retrouvée. Et de nouveau ma colère muette, retenue, juste un instant.

Pourquoi madame Bianchotti n'a-t-elle pas su la boucler ? Pourquoi, comme toujours, a-t-il fallu qu'elle revienne à la charge avec son Bon Dieu ?

– IL n'a pas pu faire ça, doux Jésus !

IL avait fait pire, et pire encore, mais je l'ignorais.

Monsieur Rosenberg essuyait ses larmes d'un revers de manche, à la recherche d'une dignité qui n'avait aucun sens.

Je me suis levé, aboyant à l'adresse de madame Bianchotti. Lui faire mal, le plus mal possible.

– Mais remerciez-Le, remerciez-Le, votre Bon Dieu de malheur. IL vous a pris votre fils, votre mari, mes parents, la femme de monsieur Rosenberg. Dites-Lui donc merci. Applaudissez. Courez vite brûler un cierge. Et dites-Lui merde de ma part.

Monsieur Rosenberg a tenté de me raisonner.

– Pourquoi faire du mal, David ? Tu ne crois pas qu'on a assez souffert tous les trois ? Elle t'a sauvé la vie, David. La vie !

Je n'étais pas capable de l'entendre. J'ai jeté ma chaise à travers la pièce. Si j'avais pu tuer…

Madame Bianchotti n'avait fait de moi qu'un vivant en sursis… Comme si j'avais oublié sa patience, sa tendresse, son amour, tous les moments qu'elle m'avait consacrés. Mais je savais aussi que toute cette ribambelle de morts laissés au cimetière du temps ne pouvaient pas être l'œuvre de Dieu. Si elle l'était, alors LUI n'était qu'un salaud. Non, ce n'était pas LUI qui avait tué le fils de madame Bianchotti, son mari, la femme de monsieur Rosenberg, mes parents. D'autres s'en étaient chargés. Des hommes. Des êtres humains, bons maris, bons pères de famille ou ordures parfaites. Qu'importe. Je les avais vu agir. Les uns portaient l'uniforme de la police française lorsque madame Bianchotti, m'empêchant de hurler, avait assisté avec moi à la rafle du Vel' d'Hiv, d'autres portaient l'uniforme SS quand ils ont arraché, au petit matin, pour les embarquer dans un camion bâché, tous ces enfants, mes camarades de la maison vide et Lonia, que j'aimais tant. C'étaient des hommes, des hommes : des chiens qui ne méritaient que la mort, plus atroce encore que celle qu'ils avaient donnée. Si j'avais pu tuer…

Madame Bianchotti, votre doux Jésus n'était au mieux qu'un médiocre pantin, au pire le complice des assassins. Dire que vous vous êtes accrochée à ce charlatan. Tant pis pour vous.

Madame Bianchotti se tenait droite sous les insultes. Et j'ai vu naître ses larmes.

Monsieur Rosenberg m'a regardé sans colère. J'ai cru comprendre qu'il m'approuvait. Il est allé ramasser la chaise. Il l'a remise à sa place.

J'étais incapable de me détacher des larmes qui glissaient sur les joues creusées de madame Bianchotti. Elle n'a pas esquissé un geste pour les essuyer. Il a suffi qu'elle me regarde. Je me suis précipité vers elle. Je l'ai enlacée. J'ai demandé pardon, pardon, pardon, ânonnant, stupide, honteux. Elle s'est laissée aller, pour la première fois depuis tant d'années, à poser sa tête contre mon épaule. J'étais le premier à lui donner une miette de tendresse. Elle l'a acceptée sans sa raideur coutumière, son entêtement, sans faire semblant. Deux boules d'amour dans une étreinte.

Puis elle m'a repoussé lentement. Esquissant un sourire, elle a quitté la salle à manger à petits pas. Sa jupe noire. Ne l'ai-je donc connue qu'en deuil ?

Monsieur Rosenberg n'a pas su trouver les mots maladroits qu'il aurait voulu me murmurer. Ils m'auraient pourtant aidé. Son regard a croisé le mien. Et mon gros ours de fourreur aux larmes chaudes s'est réfugié devant la fenêtre, mains croisées derrière le dos, regard perdu vers le zoo de Vincennes et son rocher lointain. Assis dans le fauteuil, j'ai réalisé que monsieur Rosenberg avait l'âge de mon père. C'est à ce moment que je l'ai vu hausser les épaules. Acceptation de la fatalité ? Comme si elle existait ! Lonia ne nous avait-elle pas appris que les hommes sont maîtres de leur destin ?

J'ai marché vers la fenêtre à pas de loup. J'ai posé ma main sur les mains de monsieur Rosenberg. Elles étaient glacées. Il n'a pas bougé. Au loin, la cheminée girafe des usines Kodak. Je me suis accoudé à la barre pour ne pas tanguer. Et j'ai refait, tout petit bonhomme, une promenade d'autrefois au zoo. Une promenade d'avant-guerre, avant que les Juifs ne soient interdits de piscine, de plage, de musées, de cinémas, de théâtres, de parcs, de tout. Qu'ils étaient fiers, papa et maman, en me désignant les animaux du doigt ! Que j'étais fier en haut du droma- daire. J'étais touareg, homme bleu, seigneur du désert. J'étais... Plus rien. Et je me suis collé contre monsieur Rosenberg. Je n'ai pas voulu le regarder. J'ai senti sa main sur ma nuque. Il a bégayé :

– ILS paieront, David, ILS paieront.

Quelques passants ont levé les yeux. Monsieur Rosenberg hurlait, me serrant le cou si fort que j'ai dû me dégager.

– Les ordures ! Les fumiers ! Et tout le monde qui a laissé faire. On se vengera, David, on ira jusqu'au bout. Même si on doit crever. On n'a plus rien à perdre, *mein Kind*.

Sa voix s'était radoucie. J'étais son enfant, son *Kind*, son *Kindélé*, son petit enfant. Lui, c'était un Juif assimilé,

13

malgré son accent, il connaissait maintenant toutes les insultes françaises.

– Sois gentil avec madame Bianchotti. Fais ça pour moi. Elle, elle est pas comme les autres.

Je ne l'ai pas sentie revenir. Elle était assise à la table, faisant mine de n'avoir rien entendu. Elle était déjà au travail, une paire de ciseaux à la main. Je me suis approché, sans bien comprendre. Monsieur Rosenberg m'a suivi. Madame Bianchotti réparait.

Je me suis assis en face d'elle. Monsieur Rosenberg est resté debout, les mains appuyées sur mes épaules. Sans qu'un mot soit échangé, j'ai vu mes parents recollés sur un morceau de carton que madame Bianchotti m'a tendu. C'était tout ce qui me restait d'eux.

Monsieur Rosenberg n'a pas su se retenir. Il s'est précipité vers madame Bianchotti. Il lui a pris la main et l'a embrassée, à genoux.

– Vous êtes une sainte, une sainte…

Il a pleuré. Les yeux secs, j'ai regardé mes parents rafistolés. Leurs yeux ne me parleraient plus. Plus jamais je ne me blottirais dans la chaleur de leurs corps. Papa, maman, je vous ai glissés dans la poche arrière de mon pantalon. Vous me colliez à la peau pour toujours.

Madame Bianchotti m'a regardé faire. Monsieur Rosenberg s'est relevé. J'avais retrouvé la raison : juste un regard d'espoir entre eux deux qui n'avaient rien, rien compris. Comment réparer l'irréparable ? Avec de la colle, des ciseaux et du carton ? Avec des paroles d'apaisement ? Des sourires d'encouragement ? Ils utilisaient leurs armes d'amour : je les détestais.

Monsieur Rosenberg s'est éclipsé à regret.

– Je t'attends demain au magasin, David, on verra…

J'ai fermé la porte doucement, le regardant descendre les premières marches. Il s'est retourné, épuisé, la main serrant la rampe.

Madame Bianchotti préparait le dîner malgré tout.

– Pas faim.

Je me suis enfermé dans ma chambre, celle de son fils, la chambre du mort ! Elle était devenue la chambre de *mes* morts, Lazare et Clara, que j'ai ressortis de ma poche pour les poser sur mon oreiller, délicatement. Je me suis assis sur mon lit. D'un doigt, lentement, j'ai suivi le contour du visage de maman. Sa peau soyeuse. Ses cheveux noirs. L'odeur de la brillantine. Le vaporisateur devant la glace. Son rire de petite musique heureuse. Papa ! Maman ! Du revers de la main, doucement, je vous ai caressés sous la fine pellicule lisse qui vous protégeait encore. Illusoire protection. Je me suis allongé près de vous. J'ai porté vos visages contre mes lèvres. Je vous ai couverts de baisers. Je vous ai souillés de larmes.

Je répétais les mêmes gestes qui, trois années durant, m'avaient soudé à vous. Baisers cachés, baisers mimés en attendant la véritable étreinte, chaque jour retardée. Jamais. Plus jamais je ne vous reverrai. Plus jamais votre voix ne grondera ou ne rira. Jamais plus je ne retrouverai la douceur de votre peau, de vos mains d'artisans tailleurs. Plus jamais les histoires du soir, les palabres yiddish pour que je ne comprenne pas.

Les larmes ont cessé. J'ai dû me retenir pour ne pas chiffonner votre photo. A quoi me serviez-vous, sourires figés ?

Salauds d'adultes. Salopards. Vous, tout-puissants à mes yeux de gosse, vous m'avez épaulé pour mieux me faire dégringoler. A quoi rimaient vos appels à la patience, à l'attente, vos coups de pouce pour forcer le destin ? Vous avez fait de moi un gentil ludion.

Quand la guerre sera finie… Quand Paris sera libéré… Quand les Allemands n'y seront plus… Quand les déportés rentreront… Quand… J'ai rebondi d'espérance en espérance, pour mesurer, un soir, l'immensité de votre crédulité, de la mienne aussi. Vous qui aviez vu l'Espagne crever, la débâcle, l'exode et ses morts, la rafle. Vous qui m'avez caché, vous vous êtes menti. Mais je vous en veux davantage de m'avoir menti : comment vous faire encore confiance ? Comment croire encore un seul, rien qu'un seul adulte ?

Monsieur Rosenberg a juré vengeance, mais il m'attend demain au magasin. Peut-être va-t-il me proposer de poursuivre les Nazis pour leur planter des épingles au derrière. Il possède un stock d'épingles. Quelle vengeance espérer ? Un coup de colère. Pas davantage. Quelques grossièretés lancées au ciel. Mais moi ? Moi qui ai tant espéré ? Papa, maman, je vous vengerai vraiment.

Je me suis levé d'un bond. Un coup de poing décoché dans le vide. Puis un autre coup de poing, contre le mur cette fois, puis un autre, un autre, un autre encore, toujours, jusqu'à ce que mes phalanges soient en sang, que mes mains ne me fassent plus mal tant elles me faisaient mal. Et chaque coup partait de plus en plus vite : balles de mitraillette qui avaient achevé mon père, ma mère, et que je renvoyais.

Tant pis pour le mur taché de madame Bianchotti. Tant pis pour mes doigts écrabouillés qu'elle panserait dans un moment. Je savais qu'elle était tout à côté, se signant à qui mieux mieux, croyant que tout recommencerait et que ses bras m'accueilleraient comme après tous mes accès de fureur. Ne lui avais-je pas saccagé la chambre de son fils mort, le jour où la police française était venue rafler mes parents ?

Madame Bianchotti se trompait. Je ne voulais plus de ses bondieuseries, de sa pitié. Je voulais seulement me venger. Rien d'autre.

A bout de souffle, j'ai cogné le mur, une dernière fois, avant de me précipiter dans la salle à manger.

La petite dame a sursauté. La vue du sang l'a effrayée.

– David ! David !

J'étais déjà dans sa chambre, debout sur une chaise cannée. J'avais ouvert la grande armoire. Mes mains rouges trouvaient leur chemin parmi les draps pliés et naphtalinés pour y dénicher le seul objet qui puisse véritablement m'être utile. *Mon* pistolet, et son chargeur, confisqués. Il tirait de véritables balles. L'unique moyen de venger Lazare et Clara. Œil pour œil. Dent pour dent.

– Tu ne crois pas qu'il y a assez de malheur comme ça ?

La petite voix de madame Bianchotti qui m'attendait dans la salle à manger. Il n'y avait rien à lui répondre. Je lui ai souri, comme on sourit aux étoiles, à des millions d'années-lumière.

– Viens, David, montre-moi tes mains.

J'ai posé le pistolet sur la table, aux aguets, prêt à mordre si par malheur elle y touchait. Elle s'en est bien gardée. Elle a regardé mes plaies. Elle m'a demandé de plier, de déplier les doigts. J'ai obéi. Je l'ai suivie dans la cuisine.

– Avant-guerre, j'avais toujours de la gaze et des bandages dans l'armoire.

Il a fallu faire avec aujourd'hui : passer mes mains sous l'eau froide, laissant goutter le sang jusqu'à ce que madame Bianchotti les tamponne avec douceur. Je n'ai pas osé la regarder. J'ai fixé mes chaussures. Si mes yeux rencontraient les siens, c'en était fini de ma haine.

Madame Bianchotti essuyait mes doigts un à un, comme une mère l'aurait fait pour un bobo de son gosse. Je ne voulais plus être ce gosse-là. Celui vers lequel se précipitait Clara à la moindre éraflure.

– Tes mains, tes mains, David ! C'est ce que tu as de plus précieux. Un trésor. Quand tu seras pianiste, ne porte rien…

– Même pas une valise, surenchérissait Lazare. Tu crois peut-être que Rubinstein porte ses valises ?

Et Lazare aussi venait me caresser les mains pour qu'un jour une musique en naisse, qui ferait pleurer tant elle serait belle.

Mes mains ?

Deux morceaux de chair meurtrie dont madame Bianchotti prenait soin lentement, précautionneusement, pour les sécher.

Il n'était plus question de Chopin, de Mozart, de Schubert, de blanche, de noire, de dièses… Foutaises.

Madame Bianchotti m'a noué un torchon autour de chaque main. Sans un mot, elle a gagné sa chambre.

Je savais qu'elle pleurait, entre deux signes de croix, tout en remettant de l'ordre dans l'armoire saccagée.

J'aurais tant aimé pleurer. Mais ça m'était interdit. Impossible de me détacher du pistolet. Je me suis levé. Je l'ai pris comme j'ai pu. Malgré ma souffrance, je l'ai glissé dans ma ceinture. J'ai dormi tout habillé.

Le jour n'était pas encore levé que j'ai ôté mes deux torchons-bandages. Je suis sorti en silence, tirant la porte derrière moi. Adieu, madame Bianchotti. Adieu, comme ça. Sans plus.

Rue de Paris, quelques silhouettes pressées marchaient devant moi jusqu'à la Porte de Montreuil. Premier métro. Pour eux, la longue journée de travail. Pour moi, le début d'une vengeance qui ne devait jamais s'achever.

Je me suis ratatiné dans un coin de banquette. La femme assise face à moi n'osait pas regarder mes mains. Au métro République, un vieil homme m'a tendu une carte de quelque chose, exigeant que je lui cède la place. Je n'ai pas bronché.

– Les jeunes d'aujourd'hui !

Cancans d'autrefois : le sourire m'est revenu. J'étais installé à la place réservée aux invalides civils ou militaires. C'était donc bien ma place. Je ne boitais pas comme lui d'une vieille blessure récoltée à Verdun avec croix de guerre. Je boitais de l'intérieur et ça faisait plus mal encore. Ma seule médaille à exhiber, c'était une étoile jaune, frappée d'un JUIF noir, que ma mère avait cousue tendrement un jour, avec du fil solide, sur le côté gauche de ma poitrine d'enfant. C'était la loi. Il fallait être en règle. On ne risquait rien. J'étais alors un petit bonhomme naïf et obéissant qui ignorait même ce que JUIF voulait dire. Je n'en savais guère davantage aujourd'hui, sinon qu'être juif signifiait *mort* et que j'étais vivant. Le vieux bonhomme a frappé de sa canne pour m'impressionner :

– Jeune homme !

Le jeune homme a difficilement déboutonné sa veste. Le pistolet est apparu. Le vieux bonhomme et mes voisins ont disparu dans un mouvement de recul précipité. Imbéciles ! Je changeais à Strasbourg-Saint-Denis. Deux petites stations.

Qu'ont-ils fait, tous ceux qui m'entouraient quand Lazare et Clara ont été parqués au Vel' d'Hiv, puis conduits vers les camps de mise à mort ? J'étais certain qu'ils avaient détourné le regard quand passaient les autobus du ramassage, poussé peut-être un soupir de compassion, puis regagné leurs maisons, leurs ateliers, leurs bureaux, leurs usines… La vie continuait. Leur vie. Celle des autres s'arrêtait au bout du long voyage.

Petites gens qui n'auriez pas fait de mal à une mouche, vous avez laissé faire le mal. Comment vous pardonner ? Pourquoi vous pardonner ? Vous aussi avez été complices des assassins de mes parents.

Je suis enfin sorti Porte de Clignancourt, me mettant à courir pour rejoindre la caserne.

On recrutait pour tuer : j'allais tuer.

Les Boches n'avaient pas encore capitulé et je voulais participer à la curée. Un gigantesque massacre, comme je l'avais vu aux actualités de février. Le bombardement de Dresde. C'étaient aux bombes qui s'écrasaient, aux *Fritz* qui crevaient, aux maisons déchiquetées, éventrées, que j'ai repensé avec jubilation, attendant mon tour dans le rang en formation.

J'ai regardé le drapeau français hissé en haut du mât, dans la cour. Quelques centaines de soldats étaient à l'exercice. Sûr que pas un ne savait comme moi monter et démonter un fusil-mitrailleur. Mais j'étais déjà avec eux.

Derrière moi c'était la bousculade des gueux. Ils parlaient entre eux.

– Je n'ai plus rien à bouffer, alors je m'engage. On verra après…

Je me suis retourné, méprisant. Ce n'est pas un loqueteux que j'ai vu, mais une cinquantaine, avec la faim pour unique pousse-au-cul.

– Moi, je fous le camp de la maison. Avec le pater que j'ai, vous vous seriez barrés même avant la guerre.

Je les ai entendus rire. J'ai cherché en vain un regard auquel m'accrocher. Un de ces regards que j'avais connus dans le maquis. Qu'étaient devenus mes compagnons de rire et d'angoisse ? Où étais-tu, Pimpin, toi que j'avais lâchement abandonné ? Tu ne leur ressemblais pas.

Je me suis retrouvé dans un bureau miteux, face à un officier au col rongé par la crasse. Quel âge avait-il ? Deux poils de moustache de plus que moi. Il ne m'a pas même jeté un coup d'œil, tout à son tampon encreur.

– Papiers !

Je lui ai tendu ma carte d'identité. Il l'a prise de ses mains moites.

– Faites attention, j'ai eu tellement de mal à me la procurer…

Il a levé la tête.

– Comment ça ?

– Une longue histoire…

Je n'avais pas envie de la lui raconter. Mes larmes de bonheur au soleil lorsque Pimpin m'a obligé à lire *mon* nom, celui de mes parents : GRUNBAUM. Et non plus le nom d'emprunt sous lequel je m'étais caché durant toute l'Occupation.

La voix rigolarde de l'officier pouilleux m'a réveillé.

– C'est peut-être une longue histoire mais la tienne est bien courte ! Tu crois qu'on prend les mioches, à l'armée ? C'est pas une nurserie. T'as vu ton âge ?

Comme si je l'ignorais.

– Mais j'ai fait le maquis !

– C'est ça, c'est ça. Et puis tu as fait sauter des trains, des ponts… Tu vas trop au cinéma, mon garçon… Suivant !

Et, sans me regarder, il m'a tendu ma carte d'identité. Des rires ont éclaté, médiocres.

Quand l'officier a relevé la tête, c'était toujours moi qu'il avait face à lui.

– Qu'est-ce que tu fous encore là ? J'ai pas de temps à paumer avec les marmots. Et surtout, dis bien à ta mère de te moucher le nez.

Il n'a rien compris. Pas davantage que les autres. Il avait mon pistolet braqué sur lui. Les rires ont cessé net.

– Fais pas le con, a bafouillé l'officier. Fais pas le con…

Il était en sueur, cherchant une aide qui ne venait pas. Il ignorait que je ne faisais pas le con. J'ai pris sur moi, à voix posée.

– Tu vois ce revolver, c'est bien du maquis que je l'ai rapporté. C'est tout ce qui me reste. Je sais tirer, mais c'est sur les Boches que je veux le faire, même si je n'ai pas l'âge. C'est pas une question de date de naissance. Et maintenant, tu m'inscris, comme tous les autres, pour la durée de la guerre, y compris les opérations d'Extrême-Orient. Je veux tuer les Boches, t'entends. Ils ont tué mes parents.

Je n'ai pas pu me retenir plus longtemps. A l'évocation de Lazare et de Clara, je me suis mis à hurler. D'un seul coup, je me suis effondré en sanglots, lâchant mon pistolet sur la table. Une main s'en est emparée. D'autres mains se sont abattues sur moi, me ceinturant dans le brouhaha renaissant. Je n'ai pas esquissé le moindre geste de défense. J'étais par terre, les deux bras retournés derrière le dos, le visage collé au parquet poussiéreux. Quelques courageux lâches m'ont bourré les côtes, les jambes, de coups de pied rageurs.

Qu'ils me lynchent ! Qu'on ne parle plus du ridicule David venant pleurnicher sur la mort de ses parents. Qu'est-ce que ça pouvait bien faire ? Je n'étais ni le premier ni le dernier orphelin. Et puis la guerre ne fait pas de sentiment. C'est la guerre. Toute bête.

Recroquevillé par terre, hoquetant, j'aurais aimé qu'on m'achève là. Un sursaut d'orgueil. Mon père, lui, s'était battu jusqu'au bout. J'ai cessé mes reniflades. J'ai ouvert les yeux en même temps qu'a retenti un « mais vous allez le laisser, bande de charognards »…

C'était mon officier crasseux, tout rouge, qui d'un aboiement faisait s'éloigner la canaille.

Il a fait le tour de son bureau. Il s'est sali les genoux pour m'aider à me relever. Nous sommes sortis du petit local étouffant. Il s'est retourné.

– Maintenant, vous fermez vos grandes gueules et vous m'attendez.

Dehors, il faisait frais. Le vent faisait gonfler le drapeau. Les apprentis militaires, calot sur la tête et bandes molletières, m'ont arraché un sourire. La même allure que *Charlot soldat*.

L'officier a posé sa main sur mon épaule, me raccompagnant jusqu'à la guérite d'entrée, de sortie.

– Excuse-moi ! Mais vraiment je ne peux pas te prendre. Ils sont morts comment, tes parents ?

J'ai raconté. J'ai vu ses larmes.

Sa voix cassée.

– Te bile pas. On va les venger. Et je penserai à toi en zigouillant tous ces Chleus de merde.

Je n'avais plus son enthousiasme.

– Et qu'est-ce qu'elle dit, ta famille ?

– Je n'ai plus de famille. Personne. Personne.

Il n'a plus trouvé de mots. Il m'a serré la main, fort. Je suis parti en haussant les épaules.

La boutique de monsieur Rosenberg était déserte. Il était debout, me tournant le dos, occupé à épingler une peau de lapin sur sa planche. Je suis resté sur le pas de la porte. Son dos voûté. Ses grosses pattes si habiles au travail, si maladroites au quotidien. Monsieur Rosenberg. Ultime recours.

J'ai toussoté. Il s'est retourné.

De nouveau ses bons yeux interrogateurs, inquiets. Il a tout abandonné pour se précipiter vers moi.

J'ai hurlé de douleur quand il m'a serré contre lui, tout sale que j'étais, pour me conduire devant la glace. J'étais écorché de partout, barbouillé de larmes, bon à jeter à l'égout.

– Assieds-toi, assieds-toi, *mein Kind* !

Il a poussé la chaise de la machine à coudre pour s'installer face à moi. Sa main a effleuré les miennes. J'ai serré les dents.

– Tu te rends compte de ce qu'elle va dire, madame Bianchotti ?

J'ai baissé les yeux.

– Tu te rends compte ?

Je m'en rendais compte. Elle dirait que la vie continue, que le Bon Dieu l'a voulu ainsi, et tout un tas de balivernes pour enfants de catéchisme. Elle continuerait à me sourire, à faire comme si de rien n'était. Elle viendrait me border dans mon lit. La guerre n'aurait été qu'une parenthèse et j'aurais été sa bonne action. Elle pourrait mourir l'âme en paix, s'étant dévouée à sauver un enfant juif. Son Dieu le lui rendrait au centuple.

Comment avouer à monsieur Rosenberg que j'avais honte de moi ? Que je n'osais plus me présenter devant elle par amour pour elle ? La haine pour défense.

J'ai levé les yeux. J'ai hurlé.

– Madame Bianchotti pourra dire ce qu'elle voudra. Je m'en fous. Plus jamais je ne retournerai chez elle… Plus jamais.

Monsieur Rosenberg n'a rien compris. Il a murmuré.

– Elle est tellement gentille…

A mon regard, il n'a pas insisté ! Ma résolution était prise. Elle lui faisait plaisir même s'il ne voulait pas le montrer.

– C'est chez vous que je veux rester… Chez vous. Je vous en supplie, monsieur Rosenberg ; gardez-moi chez vous. Je ferai tout pour vous.

C'est lui qui, d'un coup, a abandonné sa tête sur mes genoux. C'est moi qui lui ai caressé les cheveux tandis qu'il pleurait, que je pleurais.

– David, David, tu seras mon fils. Je te donnerai tout ce que j'ai.

Je me suis levé en titubant. Je suis monté à l'appartement, prenant la clef au passage dans l'arrière-boutique. Je me suis endormi sur le lit défait de monsieur Rosenberg.

A mon réveil, j'ai mis longtemps à comprendre quelles étaient ces odeurs inconnues et ce que faisaient mes propres affaires pliées dans une valise ouverte sur une chaise. Avec difficulté, le corps rompu, je me suis assis, la tête dans mes mains.

Il n'y avait guère que deux jours que j'avais appris la mort de mes parents. Je m'étais amoché à vouloir tout esquinter. Je voulais faire un carnage. Je n'avais réussi qu'à déménager, à me jeter dans les bras de monsieur Rosenberg pour échapper aux pleurs silencieux de madame Bianchotti. Une longue vadrouille d'une centaine de mètres pour… rien.

La porte était restée entrouverte. J'ai réalisé que monsieur Rosenberg faisait les cent pas sur le palier, guettant mon réveil. Enfin, il pouvait paraître, s'avancer vers moi. Ses mots maladroits m'ont giflé.

– Madame Bianchotti a compris que c'était mieux comme ça, puisque tu voulais… On s'est arrangés.

Comme s'il y avait un arrangement possible ! Je n'étais pas cette balle de ping-pong qui rebondissait de l'un à l'autre. J'étais David Grunbaum, paumé, mais qui savait que lui seul déciderait de sa vie.

J'ai hoché la tête. Accalmie provisoire. Monsieur Rosenberg m'avait préparé une existence dorée d'après-guerre. Son rêve réalisé. Deux malheurs additionnés ne font pas le bonheur. Mais il y croyait tant. Pourquoi le décevoir ?

J'ai même souri, le soir, au restaurant, attablé avec mon père nourricier. Il me coupait ma viande. S'il avait pu, il m'aurait donné la becquée. Mes deux mains blessées l'y autorisaient.

Rien n'était trop beau pour moi. Monsieur Rosenberg avait dû soudoyer le patron. Je me taisais.

– A quoi tu penses, David ?

Lui taire la vérité. Une bouchée pour papa. Une bouchée pour maman. C'est avec eux, cinq années auparavant, que j'étais allé au restaurant pour la dernière fois. Ils s'étaient habillés en dimanche. Maman m'avait fait ma raie sur le côté gauche, en mouillant mon peigne et en réajustant mon costume prince-de-galles. J'avais même mangé du caviar. Je n'aimais pas ça. Papa m'avait fait les gros yeux. Maman lui avait souri. Il n'allait pas gâcher la soirée.

– Dis, David, à quoi tu penses ?

Monsieur Rosenberg m'a extirpé de mes souvenirs.

– A madame Bianchotti. Avec quoi elle va se nourrir maintenant que je ne lui apporte plus ma paie ?

A lui de rester muet, de se reprendre.

– C'est arrangé, David. Elle m'a même dit que tu pouvais aller la voir quand tu voudrais. Elle ne t'en veut pas, tu sais…

Une nouvelle cuillère pour papa, pour maman, tandis que monsieur Rosenberg concoctait mon futur.

– Tes mains, elles vont guérir, David. Après tu pourras reprendre tes cours. Je te paierai le meilleur professeur de piano de Paris… Le meilleur du monde, et tu seras *Ribinstein*. Et ton père, il pourra être fier de toi.

Il s'est arrêté net devant l'énormité.

Il n'a pas compris que je sourie gentiment. J'aimais tant qu'il écorche les mots, que Rubinstein devienne *Ribinstein*, que je prenne mon café avec deux *sicres*, le matin.

Qu'il parle, qu'il parle, de n'importe quoi pourvu que

sa musique yiddish ne s'arrête pas, qu'elle me porte, me soûle, me berce comme lorsque papa me chantait la *Bite rouge*, et que je pouffe de rire.

Au dessert, il m'avait inscrit à la Sorbonne, soigné les mains et refait ma vie. Je pouvais être ingénieur si le piano me déplaisait, professeur, *jige*, *advocate*… Oui, « c'en est un bon métier, advocate ». On défend les gens. J'avais retrouvé l'appartement de mes parents, vidé les salopards qui s'y étaient incrustés. Pour la boutique, le procès viendrait plus tard. C'était une spoliation, et sûr que je rentrerais dans mon droit, avec des indemnités en plus. J'arrangerais comme je voudrais.

– Tu seras riche, David, riche. Tu pourras faire tout ce que tu veux. Tu n'auras jamais besoin de mendier.

Nullement l'intention. Riche ? Ça n'avait jamais été ma préoccupation. Juste lorsque j'étais gosse, que je louchais sur le dernier modèle Ferrari ; une voiture fasciste, interdite, mais tellement rouge et belle.

J'avais cessé d'écouter, assommé.

Au retour, je n'avais gagné qu'un chez-moi toujours chez les autres.

Et je me suis installé. Tour à tour, monsieur Rosenberg a joué à la maman pour le papier peint de ma chambre qu'il faudrait refaire, au papa en m'offrant un blaireau et un coupe-chou.

– Dis, dis, si tu veux quelque chose. N'hésite pas, David.

Je ne voulais rien. Et puis si, un tout petit service. Le sourire de monsieur Rosenberg lorsque je lui ai demandé de rapporter mon *Comte de Monte-Cristo*, oublié chez madame Bianchotti.

Il était sur ma table de chevet dix minutes plus tard, le temps d'un saut de puce que je m'interdisais.

J'évitais la rue Garibaldi dans mes promenades solitaires. Je ne voulais plus revoir *ma* maison, *notre* boutique au rideau de fer baissé, ni les fenêtres d'où madame Bianchotti aurait pu me surprendre. C'est elle que je voulais chasser de mon monde. Mais chaque détour était une preuve que la petite dame en noir me hantait. Peur de la croiser. Peur de la rencontrer chez le boulanger de la rue de Paris. Peur. Peur. Peur. Et personne à qui me confier.

Surtout pas aux membres de l'Amicale israélite recomposée auxquels monsieur le président Rosenberg exhibait, en vitrine, David : sa dernière acquisition.

David, « le pauvre gosse », en français et en yiddish. David qu'il avait recueilli. Un si bon garçon que ses parents, « ils en étaient pas rentrés ».

– Et vous ne savez pas comment il a appris…

Monsieur Rosenberg baissait la voix, et chaque jour j'avais droit à la mort de mes parents, version trémolos.

– Pauvre gosse ! Vous êtes un bienfaiteur de l'humanité, monsieur Rosenberg.

Je leur aurais bien cassé la gueule à toutes ces faces de macaques qui suaient de la même pitié que madame Bianchotti. Qu'ils crèvent tous. Qu'ils me laissent vivre sans leurs conseils, leurs fausses larmes, leur tendresse feinte ou véritable.

Il m'a fallu patienter, attendre que mes mains redeviennent mains pour qu'enfin, un soir, après la fermeture, monsieur Rosenberg cesse de plastronner.

– Où est-ce que tu m'emmènes, David ? Je n'ai même pas eu le temps de me *chonger* !

– Ça n'a pas d'importance.

Dans la rue, au pas de course, monsieur Rosenberg s'essoufflait. Rue François-Arago. Rue de Paris. Rue Marceau. Un grand détour pour éviter encore, toujours, la rue Garibaldi. Monsieur Rosenberg a pu souffler rue Lebour.

Une porte cochère. Cinq étages. Un coup de sonnette.

– Mais pourquoi tu m'emmènes chez madame Katz ? Elle passe à la boutique une fois par semaine !

– Parce que.

La porte s'est ouverte sur un « Mais qu'est-ce qui se passe, mon Dieu, qu'est-ce qui se passe ? ».

Monsieur Rosenberg a dû grimacer son ignorance.

– Mais c'est rien de grave, au moins ?

Nouvelle grimace de monsieur Rosenberg.

Elle nous a fait pénétrer dans son horreur de salle à manger, mélange de harengs marinés, Lévitan et cannelle.

– Vous prendrez bien un peu de thé ? Le *tchaïnik* est sur le feu. Et puis asseyez-vous, asseyez-vous. Ne restez pas comme ça.

Monsieur Rosenberg n'a pas eu le temps d'amorcer les amabilités. Je l'ai devancé.

– Je veux voir votre grand cahier noir, madame Katz.

Elle semblait affolée par ma demande.

– J'ai fait quelque chose de mal, monsieur le président ?

Il ne comprenait rien.

– Ça n'a rien à voir avec lui. Montrez-moi seulement le cahier noir.

Elle a trottiné vers une cache secrète, quelque part au fond de l'appartement, tandis que, debout dans les odeurs rances, monsieur Rosenberg cherchait où je voulais en venir.

Madame Katz est revenue aussitôt. Elle a posé le cahier sur sa toile cirée.

– Vous avez une règle et un porte-plume, un encrier ?

Elle est allée ouvrir un tiroir. Je tournais les pages une à une. Quelques points d'interrogation en face des membres de l'Amicale avaient été effacés. Quelques noms barrés. A la lettre G, sur la cinquième ligne, calligraphié, un magnifique GRUNBAUM Lazare et Clara.

Je me suis assis. J'ai trempé le porte-plume dans l'encrier. Et d'un trait, d'un seul, rageur, j'ai barré le nom de mes parents. J'ai laissé le grand livre ouvert, le regard fixe, sans pouvoir m'en détacher. Deux noms rayés. Seul monsieur Rosenberg a pleuré.

Il a pleuré encore, mais de joie, quand Paris s'est mis à carillonner la capitulation allemande. Il m'a étreint jusqu'à l'étouffade, laissant hurler la T.S.F. et le général de Gaulle qui parlait de « joie » et de « fierté nationale ».

– Dis, dis, David, qu'est-ce que ça veut dire « les rayons de la gloire » ? Tu entends comme il parle bien ? Tu vois, il pense aussi aux morts. Écoute. Écoute.

– Ça ne les fera pas revenir.

Pourquoi ai-je enterré ma propre joie ? J'ai laissé monsieur Rosenberg embrasser la T.S.F. et son œil vert.

– C'est fini, David, fini. Ça y est. Plus jamais ça ne recommencera.

– C'est sûr. Comment ils pourraient assassiner deux fois mes parents et… votre femme ?

Monsieur Rosenberg s'attendait à mes parents. Il n'avait pas imaginé que sa femme reviendrait en boomerang.

Il a pâli. Il a serré les poings. Il m'aurait bien giflé.

Je lui ai tourné le dos. Sur le seuil de la boutique, je regardais les gens s'interpeller aux fenêtres, agiter timidement du bleu-blanc-rouge ou brailler des « Vive la France ».

J'ai senti la présence de monsieur Rosenberg derrière moi. Je savais qu'il poserait sa main sur mon épaule.

– Tu sais, David, je ne t'en veux pas. Ma femme est morte pendant l'exode. J'ai beaucoup pleuré. Mais tu verras, toi aussi, avec le temps…

J'ai laissé sa main serrer mon épaule. J'avais tant besoin de chaleur.

Ça dansait dans les rues, place de la Mairie, square Victor-Hugo, tendus de drapeaux rouges aux faucilles et aux marteaux. Les mots dansaient dans ma tête. « Avec le temps… » Monsieur Rosenberg avait peut-être raison, sûrement raison. Apollinaire ne disait pas autre chose.

« La joie venait après la peine », mais sans flonflons. Il ne me restait qu'à attendre la joie, assis à côté de monsieur Rosenberg qui souhaitait tant que je participe à la « liesse populaire ». C'était écrit ainsi dans les journaux.

Valses-musettes, tangos et paso doble pour deux éclopés. Monsieur Rosenberg souriait en regardant les couples tournoyer, se défaire. Peut-être pensait-il à madame Salzmann qui, depuis quelques semaines, avait pris un abonnement Seccotine dans la boutique. Manteau trop long, trop court, trop ou pas assez n'importe quoi. Monsieur Rosenberg rougissait. Il virait au cramoisi au moindre de mes regards. Sans doute avait-il raison... *avec le temps.*

J'avais raison, moi aussi : ne pas supporter qu'on danse, qu'on boive, qu'on rie à cinq cents mètres à peine du foyer de la rue François-Debergue, cette cache à enfants juifs, déportés comme l'avaient été tous mes camarades, frères et sœurs dans le malheur et dans l'attente. Insupportable d'être rescapé. Insupportable de se l'entendre dire, même si c'était vrai.

Depuis quelques jours, monsieur Rosenberg s'absentait.

– Ne t'inquiète pas, David, c'est pour toi !

Il était heureux comme un gosse qui prépare une surprise et ne peut le cacher.

Quelle surprise !

Le jour est enfin venu.

Monsieur Rosenberg a donné le signal des solennités, me demandant de m'asseoir. J'étais déjà assis. Je lisais. J'ai à peine levé la tête. Madame Bovary rêvait de palais, de marbre, de dômes, emportée par le galop de quatre chevaux, et son mari ronflait.

Monsieur Rosenberg s'est raclé la gorge. Je l'ai bien regardé. J'ai su qu'il fallait poser Flaubert.

– J'ai une grande nouvelle à t'annoncer, David.

Un manteau de vison pour l'hiver ou peut-être en

astrakan ? J'avais le cœur aux mauvaises plaisanteries. Mais qu'il l'annonce, sa grande nouvelle !

– Tu sais, David, je me suis renseigné, j'ai couru partout…

Il en était encore tout essoufflé.

– Depuis le 20 avril, tu es assimilé aux orphelins de guerre. Tu es *pipille* de la nation.

Il aurait peut-être voulu que je saute de joie. C'était si délicatement dit.

– Tu comprends ? Tu comprends ?

Il était tout excité !

– Oui, je comprends. Mes parents sont morts. Je n'ai plus de famille. Plus personne.

– C'est justement, David.

– Justement quoi ?

– Les pauvres gosses comme toi qui n'ont plus personne, ils sont placés dans des maisons d'enfants. Mais toi, toi, je peux t'adopter. Je suis là. Tu seras mon fils, mon vrai fils. Tu te rends compte de ta chance ?

Il ne s'est pas rendu compte de la sienne. Je venais de saisir la paire de ciseaux posée sur la table de coupe, prêt à la lui balancer à la gueule. J'ignore comment je me suis retenu.

Encore une fois « pauvre gosse ». Est-ce que j'allais traîner ça toute ma vie ? Lui, mon père ? De quel droit ? Comment ? Mais j'en avais un : Lazare Grunbaum. J'avais un nom. Je n'allais pas l'échanger. Qu'est-ce qu'il s'était inventé ? Je ne lui devais rien. Je ne demandais rien. J'en avais assez bavé pour qu'il me foute la paix. Son fils ? Pourquoi pas celui du pape ?

Monsieur Rosenberg a regardé les ciseaux sans comprendre. D'ailleurs il ne comprenait rien. J'en avais marre de sa bonté. Marre jusqu'à l'écœurement. Marre de tout ce fric qu'il me donnait, dégoulinant. Je n'étais pas à vendre. Lui croyait pouvoir tout acheter, même mon nom.

Il m'a supplié.

– Dis quelque chose, David.

J'ai simplement reposé les ciseaux.

– J'ai fait quelque chose de mal ?

Ses yeux se sont remplis de larmes. Il était debout, bras ballants, au beau milieu de la boutique. Il aurait voulu s'agripper à moi. Je suis sorti pour qu'il ne me voie pas pleurer. Je l'ai fait en cachette dans les rues de mon enfance où tout me rappelait Lazare et Clara Grunbaum.

A mon retour, les yeux rougis, je me suis approché de monsieur Rosenberg, assis, immobile, devant sa machine à coudre.

– Je vous demande pardon, monsieur Rosenberg. Mais ce n'est pas possible.

Il s'est essuyé le visage.

– Ce n'est rien, David, ce n'est rien. C'était pour ton bien.

– Je sais.

A qui confier qu'on est tout seul quand on est tout seul ? Vraiment seul. Solitude qui semblait me rendre indifférent à tout, à tous. J'espérais encore. Non pas le retour de mes parents mais celui de Lonia, Hélène, les deux jumelles, Maurice, raflés par les Nazis.

J'ai repris le chemin de l'hôtel Lutétia, chaque matin. Les déportés revenaient. La foule massée autour des morts vivants cherchait à reconnaître un visage, une silhouette, un regard familier. J'étais de ces habitués silencieux. Mais il aurait suffi que je retrouve un seul, un unique survivant, pour que les mots de la vie reviennent. Dire, lui dire, qu'enfin je n'étais plus seul. Retrouver nos souvenirs, nos souffrances, nos rires. Je n'ai rien retrouvé, sinon les mêmes inconnus attendant chaque jour l'arrivée des convois.

Un après-midi de juin, une femme que je rencontrais chaque jour s'est approchée de moi. Elle ressemblait tant à Lonia. Sans un mot échangé, je me suis jeté dans ses bras. J'ai pu pleurer toutes les larmes retenues depuis des mois. La tête posée contre sa poitrine, j'ai retrouvé la chaleur de la vie. Je ne savais rien d'elle. Je savais seulement que je pouvais aller au bout de ma détresse. Combien de temps ai-je pleuré ? Qu'importe ? Les mots sont revenus.

Elle m'a pris par la main. Nous avons marché lentement, sans que je comprenne très bien, jusqu'au café voisin. J'ai bu une limonade. J'ai pu tout raconter, dans le désordre, dans la tristesse et le sourire enfin retrouvé. J'étais redevenu David qui pleure et David qui rit. Elle ne m'avait posé aucune question. Elle s'était contentée de m'écouter, les coudes sur la table, et ses yeux disaient qu'elle comprenait, même mes silences. Comme je l'ai aimée !

Ça allait de soi. Elle pouvait me conduire où elle voulait. Elle était le joueur de flûte de Hammeln, celui de ma toute petite enfance. Mais un joueur d'une infinie bonté, pour lequel les enfants étaient sacrés. Elle faisait mentir l'histoire.

Madame Berman les avait conduits dans un magnifique relais de chasse en bordure de la forêt de Saint-Germain.

Ils couraient dans le parc quand je suis arrivé, voyageur sans bagages. Ils m'ont accueilli d'un regard. Ils ont poursuivi leur partie de chat perché. J'entrais dans leur monde avec une infinie douceur. Leur monde, c'était le mien.

Madame Berman m'a entraîné dans son bureau. Elle a fait taire mes scrupules devant la photo d'un homme barbu que j'ai cru être son père et un drapeau frappé d'une étoile de David bleue. Mon étoile ?

– Ne t'inquiète pas, David, demain j'irai voir monsieur Rosenberg. Ce n'est pas le travail qui manque ici. Tous les gosses que tu as vus sont comme toi, exactement comme toi. Ils n'ont simplement pas le même âge. Écoute-les. Écoute-les bien, c'est ton histoire qu'ils te raconteront.

Le bonhomme barbu dans son cadre m'intriguait.

– Tu sais qui c'est ?

J'ai secoué la tête.

– Un grand, un très grand homme. Il avait compris avant tous les autres. Theodor Herzl.

– Jamais entendu parler. Et qu'est-ce qu'il avait compris ?

J'ai vu le visage de madame Berman se crisper un instant.

– Rien. Ou plutôt si. Mais tu as tout le temps pour le connaître et savoir ce qu'il voulait.

Elle s'est levée.

– Viens. On va visiter… Tu es chez toi maintenant.

Un éclair de temps, j'ai cru à une hallucination. J'avais déjà vécu cette scène. Cette arrivée dans une maison

Theodor Herzl

d'enfants, cette chaleur retrouvée, cette sensation indicible d'être soi et ces mots qu'il me semblait avoir entendus.

– La vraie vie commence, David. Ici tu es Juif, fils de Juifs.

J'étais certain, vraiment certain que Lonia me tenait par la main. Mais c'était madame Berman. J'ai pleuré en me rendant à l'évidence. Lonia, est-ce que tu reviendras ?

J'ai vu l'immense salle à manger, la cuisine, la lingerie. J'ai vu les chambres des filles, les chambres des garçons au premier étage. J'ai vu ce que j'avais déjà vu. La maison vide s'était repeuplée, les dessins colorés hurlaient la vie sur tous les murs. La vie retrouvée. La vie revenue. La vie à vivre.

Une couverture kaki de l'armée américaine sur un lit de camp : j'étais chez moi. Une chambre sous les combles, une lucarne ouvrant sur l'immense marronnier du parc. J'ai posé la photo de Lazare et Clara bien en évidence sur ma chaise-table de chevet. J'ai fait mon lit. Je me suis étendu dans l'attente de mon compagnon de chambre.

Il est entré sans frapper. Un grand rouquin frisé aux yeux bleus, une pogne de fer.

– Moi, c'est Jacques. J'ai fait aussi vite que j'ai pu. Madame Berman m'a annoncé ta venue. Mais j'étais à la douche avec les petits. Tu sais ce que c'est… Faut que j'y retourne. Tu viens ? C'est l'heure du repas.

J'ai dévalé les escaliers à sa suite. J'avais à peine mis les pieds dans la salle à manger qu'un chant a éclaté.

Bonjour, bonjour, bonjour à toi

Et bienvenue,
Chantons notre joie tralala…

Ma tête a éclaté. Mes larmes ont éclaté. Je ne voyais rien, dans mon trouble, de la trentaine de gamins de six à douze ans dont m'avait parlé madame Berman. Ils n'ont rien dû comprendre de cette joie qu'ils m'offraient et qui me frappait de stupeur, me renvoyant à d'autres enfants, chantant avec la même fougue la même chanson et que j'avais tous vu monter dans un camion bâché vers la route des crématoires. Qu'un miracle fasse qu'un seul, qu'un seul au moins ait échappé à la mort !

J'ai dû vaciller. Jacques m'a retenu. Les voix se sont tues. Non, je n'étais pas en train de revivre la même histoire. Je leur ai souri. Ils se sont assis.

Tout naturellement, j'ai retrouvé les gestes simples du partage. Servir l'eau, aider les enfants à se servir d'un couteau, rompre le pain, parler. Dire mon nom, mon âge, d'où je venais. Ils voulaient tout savoir mais ils voulaient aussi tout raconter. En un instant tous les regards se sont portés vers notre table d'où montaient des hurlements. Cinq bambins, l'âme amochée, récitaient un credo insoutenable.

Madame Berman l'a dit. Nos parents, on ne les reverra jamais. Ils sont morts. Les salauds de nazis les ont tués. C'est pas la peine d'espérer. Il faut vivre sans. Et le mieux possible. On ne revient pas en arrière.

Hélène. Pierre. Samuel. Maxime. Paula. Cinq voix unies de gosses de huit ans qui livraient chacune un morceau de vérité.

J'ai dû frapper du poing sur la table pour que cesse le brouhaha, pour que cesse l'écho de mes propres pensées.

Le silence revenu, j'ai regardé madame Berman, qui avait deviné. Elle a hoché la tête. A moi de faire mienne cette litanie de cinq bambins qui me réapprenaient à vivre.

Ils se sont accrochés à mes mains, mes pantalons, mes manches, chacun cherchant sa place au plus près de mon corps pour notre première promenade du soir dans le grand parc.

Maxime serait aviateur, Pierre dessinateur industriel, Hélène princesse mais il faudrait d'abord qu'elle trouve un prince, et c'était difficile.

– Pas vrai, David ?

Comment ne pas sourire, la soulever dans mes bras et l'embrasser ?

– C'est des idioties, a dit Paula. Mais je te « couserai » la plus belle robe de princesse du monde pour ton mariage.

Seul Samuel ne disait rien. Ses grosses lunettes de myope venaient de découvrir une coccinelle dans l'herbe. Il est allé la recueillir avec précaution. Il l'a regardée longtemps. Elle s'est envolée. Il a eu l'air triste qu'elle ne veuille pas rester au creux de sa main.

– C'est une bête à Bon Dieu, a-t-il dit simplement.

– Imbécile ! Le Bon Dieu, ça n'existe pas, a hurlé Maxime. Le Bon Dieu, s'il était bon, il nous aurait pas pris nos parents.

– Ça, c'est vrai, a dit Paula. Et toi, David, tu y crois, au Bon Dieu ?

Pourquoi ces marmots frappaient-ils si fort, si juste ?

Pierre m'a sauvé, devançant ma réponse.

– A la campagne, les paysans qui m'ont caché, ils m'ont fait baptiser. Ils m'ont dit que le Bon Dieu, il voyait tout ce qu'on faisait. Et que si on avait été gentil toute sa vie, on allait au paradis, tout droit. Sûr que mes parents y sont et qu'ils m'attendent.

Toute la petite bande a approuvé.

Seul Samuel a haussé les épaules.

– Madame Berman, elle m'a expliqué ! C'est pas vrai. Tout ça, c'est des histoires. En plus, toi, t'es catholique-juif. Et ça ne peut pas exister. Il faut choisir.

Ils m'avaient oublié, assis dans l'herbe, discutant avec âpreté. Dieu ou pas Dieu ? Bon Dieu ou mauvais Dieu ?

Ils m'ont laissé le temps de respirer.

Première cérémonie du coucher. Brossage des dents. Fermeture des volets, dernier regard vers le parc. Et l'histoire obligatoire. Je n'avais pas de livre. Je n'avais pas encore exploré l'immense bibliothèque. Je me suis assis au pied du lit de Maxime. C'est *Le Petit Poucet* qui est venu les surprendre, me surprendre. Quand Lonia racontait, nous attendions tous la fin. Il était riche et retrouvait ses parents. *Le Petit Poucet* vengeait Hélène, Pierre, Samuel, Maxime, Paula. Il me vengeait.

Je savais, en improvisant à voix basse, sans oser regarder les gamins, que tous avaient enfoui leur tête sous les draps, qu'ils écoutaient d'une oreille attentive et pleuraient des deux yeux. J'aurais aimé les imiter : je devais donner l'exemple. Ce n'était qu'une histoire après tout. Pourtant, avec quel bonheur haineux j'ai tranché la gorge des sept filles de l'ogre afin qu'il comprenne qu'il pouvait être blessé, lui aussi ! S'il n'avait tenu qu'à moi, je l'aurais égorgé. Je me suis contenté de lui voler ses bottes de sept lieues. Et les enfants ont tous retrouvé leurs parents… En rêve, peut-être, sans cauchemar cette nuit-là. A moins que je n'aie rien entendu, épuisé par ma journée.

J'ai embrassé les gosses. J'ai passé ma main sur leurs joues, sur leurs cheveux et sur mes yeux. Samuel implorait :

– Dis, David, tu resteras toujours avec nous ?

J'ai laissé la porte ouverte et la lumière dans le couloir.

En descendant l'escalier ciré, j'avais l'impression que j'étais là depuis toujours, que je répétais des gestes de toujours et pour toujours.

J'ai frappé à la porte de madame Berman, doucement. Par peur de déranger. J'ai donc attendu longtemps. J'ai tambouriné.

– Entre, David, c'est ouvert.

Ils m'attendaient tous, en rond. Une chaise vide : la mienne. Réunion de tous les soirs où se décidait l'avenir de chacun, programmé. Mais avant de le comprendre, il m'a fallu essuyer le regard de cinq adultes et de quatre « comme moi » que je n'avais pas osé affronter dans la salle à manger. J'ai pris appui sur les bons yeux bleus de Jacques. Ce soir, dans notre chambre, je lui poserais toutes les questions du monde. Madame Berman m'a présenté.

– Salut.

– Salut.

J'ai serré des mains, mis des prénoms sur des visages et je me suis assis, sage.

– Demain, je retourne à l'hôtel Lutétia. On ne sait jamais…

Madame Berman s'est tournée vers moi en souriant.

– Michèle ? Le jeu de piste est prêt ?

Elle a hoché la tête.

– Et le petit Armand, il réclame toujours ses parents ?

– Oui. Il se met à pleurer pour un rien, n'importe quand, au beau milieu d'une ronde. Il vient se cacher dans mes bras.

Michèle décrivait un bout de chou que je ne connaissais pas. J'aurais pu être lui. Nous étions tous comme lui, mais nos larmes ne coulaient plus qu'à l'intérieur.

Madame Berman a refait sans doute sa centième mise au point.

– Surtout, surtout ne leur mentez pas, quoi qu'il vous en coûte. Pas de « peut-être ». Leurs parents sont morts. Mais eux, rien ne doit les empêcher de vivre. Nous sommes là. Nous les aiderons jusqu'au bout. Ça prendra le temps qu'il faudra, mais ils retrouveront le sourire, la joie de vivre. Et parlez-leur d'Eretz-Israël… Que ce soit un modèle pour eux. Toujours. Toujours.

Un modèle. Eretz-Israël ?

J'ai hoché la tête. Ne pas paraître ignorant. J'ai perdu le fil de son discours. La fatigue, d'un coup.

Une journée pleine. Le matin même, j'avais quitté Montreuil-sous-Bois, le soir je dormais dans le lit de camp d'une maison d'enfants. Et je n'étais plus un enfant.

Madame Berman est revenue le lendemain, à la nuit tombante. Elle m'apportait ma valise, mes quelques affaires. Elle m'a parlé de monsieur Rosenberg. Il était accablé. Il n'avait pas compris mon départ.

– Mais tu as bien fait, David. Chacun doit aller son chemin. Il veut seulement que tu lui écrives de temps en temps, si tu veux.

J'ai fait oui, machinalement.

– Il m'a dit de te dire qu'il ne t'en voulait pas. Et que si tu voulais revenir, il serait toujours là.

J'ai gardé le silence. Tout ça me paraissait si loin.

– Et vous, madame Berman, vous avez trouvé quelque chose à l'hôtel Lutétia ? Des gosses ?

Je l'ai sentie mal à l'aise. J'ai pris ma valise. Nous avons marché jusqu'à la maison. Elle a posé sa main sur mon épaule. Avant la première marche du perron, elle s'est arrêtée. Des rires, des chants nous parvenaient de la salle à manger.

– Écoute, David, écoute bien ce que je vais te dire... Je crois que personne ne peut imaginer ce qui s'est passé dans les camps. J'en ai la chair de poule. Les déportés parleront mais personne ne voudra les croire. C'est tellement...

Elle s'est tue. Son visage disait les traces de mots entendus. Larmes contenues. Colère prête à exploser. Désir de meurtre, de vengeance, abîme de détresse.

Madame Berman a soupiré. Elle reprenait souffle comme après une noyade. Pourquoi était-ce à moi qu'elle se confiait ?

– Juste avant que je parte, une jeune femme est venue s'asseoir à côté de moi. Elle aussi m'a raconté puis elle s'est tournée vers tous ces gens que tu connais, que tu as vus à l'hôtel Lutétia. Elle m'a pris la main. A vous, je peux le dire, pas à eux. Ils ne savent pas que tous ceux qu'ils attendent ne reviendront jamais. Jamais. J'ai envie de le hurler. Ils ne m'entendront pas. Ils ne savent pas les chambres à gaz, les crématoires... Ils ne savent rien... Vous croyez qu'il faut leur laisser un peu d'espoir alors qu'il n'y en a pas ? Surtout les enfants ! Les enfants ! Et cette femme s'est écroulée par terre en hurlant : « Allez-vous-en ! Allez-vous-en ! Il n'y a plus personne à attendre. »

Madame Berman pleurait. Elle a serré les mâchoires, les poings.

– David ! La vie continue. La vie. Occupe-toi bien des gosses.

J'ai réalisé que moi aussi, malgré les jours passés à l'hôtel Lutétia, je ne savais rien des squelettes de chair qui y arrivaient. Qu'avait donc entendu soudain madame Berman ? De quoi venait-elle de se rendre compte pour s'appuyer sur moi ? Pour m'abandonner là et se réfugier dans son bureau ?

– Occupe-toi bien des gosses !

J'ai dansé la capucine. J'ai joué à la marelle, à loup-y-es-tu, à chat perché. J'ai soigné les égratignures, pansé les bobos, embrassé-qui-vous-voudrez.

Hélène. Pierre. Samuel. Maxime. Paula. Mes cinq amours. Je vous ai couvés, cajolés, caressés, chatouillés. Il m'est arrivé de vous punir. Vous le méritiez peut-être. A moins que j'aie été mal luné. Je n'ai jamais levé la main sur vous. Je ne vous ai jamais botté les fesses. Parfois vous le méritiez. Cet été 45, je l'ai passé avec vous : mes petits frères qui attendiez la rentrée des classes pour être enfin comme tous les autres enfants de France.

Et moi, qu'est-ce que j'attendais ? Mes longues discussions avec Jacques quand nous nous retrouvions seuls dans notre chambre. Jacques, mon frère aîné, celui qui savait tout, qui avait tout lu et qui avait atterri là, lui aussi, sans jamais perdre ses lunettes, disait-il en riant, ses yeux bleus plissés. Jacques à qui je pouvais tout confier, le seul des quatre moniteurs à ne pas porter son malheur comme une étoile jaune. Rivka et Ginette, les deux chi-

chiteuses, geignaient sans dignité. Nous étions pourtant dans la même galère. Inutile d'ouvrir le concours des sinistrés. Il manquait encore Sarah, dont Jacques me parlait avec fougue.

– Madame Berman l'a chargée de récupérer les gosses encore perdus dans les campagnes et que les familles ne veulent pas rendre. Un sacré boulot. Je l'ai fait au début. Tu sais, Sarah…

Je regardais ce « grand » de vingt ans avec admiration. C'est avec lui que je passais mes jours de congé, dans la forêt de Saint-Germain. Grandes balades à bicyclette. La ville me manquait. Elle le terrorisait. Pour me faire plaisir, il acceptait parfois qu'on prenne une limonade à la terrasse d'un café, place du Vieux-Marché. Il parlait d'architecture : j'écoutais en regardant les filles qui riaient, la vie qui reprenait.

Sous le soleil du bonheur, il lançait soudain :

– Tu crois que les gosses dont on s'occupe ont la même idée de la mort que nous ?

Il n'attendait pas de réponse. Plus tard, il serait psychologue.

– L'âme humaine, tu vois, c'est jamais ce qu'elle donne à voir. Il faut gratter pour savoir ce qui s'y cache. Toi, par exemple. Depuis un mois tu n'as jamais élevé la voix. Il suffit de t'observer pour voir que dedans c'est prêt à exploser.

Comment savait-il ? J'avais bien envie de protester. Juste pour la forme. J'aimais l'entendre parler de moi sans apitoiement, sans conseils ni précautions à prendre. Il parlait simplement de moi. Puis il se taisait longuement. Peut-être se racontait-il son passé, auquel il ne faisait jamais allusion. Sa vie semblait n'avoir commencé que le jour de son arrivée au foyer d'enfants, cultivé, spirituel, plus attentif aux autres qu'à lui-même. Son passé, j'aurais tant aimé le lui arracher. Jacques me l'a livré au moment où je m'y attendais le moins.

Un mardi, comme chaque soir après le coucher des gosses, madame Berman nous réunissait dans la bibliothèque. Il y faisait frais. Personne ne comprenait pourquoi je me précipitais toujours vers la même chaise, tournant le dos aux immenses rayonnages. C'est qu'en y pénétrant la première fois, j'avais immédiatement repéré les deux énormes tomes rouges de *Sans Famille*. Mieux valait les éviter tandis que madame Berman nous parlait de l'homme à la photo. Le grand homme : Theodor Herzl.

– C'est peut-être grâce à lui que nous avons encore l'espoir que le peuple juif ne disparaîtra pas. Un jour nous aurons une terre à nous. Une terre de justice où personne ne nous traitera de sales Juifs.

J'ai aimé Theodor Herzl. J'ai aimé la patrie qu'il nous proposait. J'ai aimé les premiers pionniers partis s'installer là-bas. Là-bas ! Je me mettais à y rêver. Un monde de solidarité, d'égalité, de fraternité. Qui n'aurait pas aimé ? Quel est celui d'entre nous, même nos deux grincheuses, Rivka et Ginette, qui ne serait devenu soudain conquérant d'un nouveau monde ?

Madame Berman nous ouvrait les portes du rêve même si les photographies des membres du premier Congrès sioniste de Bâle en 1897 ne représentaient que de vieux messieurs en col blanc et plastron et que les femmes, tout en bas, semblaient toutes enchignonnées.

J'étais ailleurs, socialiste sans le savoir, et tout se mélangeait. Fermes collectives, achat de terres, lycée hébraïque à Jaffa. École normale à Jérusalem. « Terre ! Terre ! »

Eretz-Israël.

J'avoue n'avoir rien compris à la Déclaration Balfour, au rôle des uns, des autres, des sionistes de droite, de gauche, des bons et des méchants. Il suffisait que madame Berman en parle : c'était la vérité.

Je regardais Jacques. Il était du voyage. Lui savait. Il m'expliquerait.

Je suis remonté avec lui dans notre chambre, émerveillé de tant d'aventures possibles. Madame Berman avait réussi ce miracle de transformer la guerre en une simple parenthèse avant un nouvel élan. L'aventure. La collectivité. Le bien commun. Et cette aventure avait nom « Kibboutz ». J'étais enrôlé.

Jacques a refroidi mon ardeur.

– Tu crois que c'est possible, Jacques ? Tu crois que les kibboutz, c'est comme elle raconte ?

– Tu sais, David, les constructions humaines, c'est comme l'homme lui-même. Il faut voir ce qui se cache derrière. Mais théoriquement, c'est possible.

« Théoriquement ! » Pratiquement, je lui en ai voulu. Je me suis mis au lit sans un bonsoir. Pourquoi me gâcher mes rêves ? Et pourquoi ces hurlements au milieu de la nuit ?

J'ai allumé la lampe de chevet. Jacques se débattait contre ses fantômes, les assommait à coups de poing inutiles, hurlant : « Vous ne m'aurez pas ! Vous ne m'aurez pas ! »

Jacques, mon Jacques si doux. Je l'ai secoué, secoué, hurlant plus fort que lui.

– Mais réveille-toi, bon Dieu, réveille-toi.

Il était trempé, poursuivant son pugilat contre des adversaires absents.

J'ai dû le claquer de toutes mes forces pour qu'il s'apaise enfin, ouvre les yeux et s'assoie sur son lit, hébété, reprenant souffle.

– Ce n'est pas grave, David. Ça revient des fois !

– Mais qu'est-ce qui revient ?

Il a chaussé ses lunettes.

– Suis-moi. J'ai besoin de prendre l'air.

Il était tout blanc, torse nu, ses cheveux plaqués par la sueur.

Sur la première marche du perron, sur la pierre fraîche, d'une voix sans émotion, il m'a confié son secret dans l'air tiède de la nuit.

– Tu vois, David, nos rêves parlent pour nous. J'étais en train de me battre avec des SS venus m'arrêter. Mais en réalité, ça ne s'est pas passé ainsi. Enfin, presque…

Il a posé la main sur mon genou. Et seule une pression, de temps en temps, sans qu'il s'en rende compte, m'indiquait les émotions trop fortes qu'il me fallait partager.

– C'est l'U.G.I.F.[*] qui m'a envoyé là-bas, alors que j'étais tout seul à Paris, en 43, paumé, mes parents raflés. L'U.G.I.F., c'était des collabos juifs. Ils m'ont inscrit. Ils m'ont donné un matricule, une miche de pain et une couverture. J'ai pris le train avec vingt autres de mon âge pour les Ardennes, « la zone rouge ». Les Allemands avaient fait le vide. Il n'y restait plus que des gosses, des vieux et des agriculteurs réquisitionnés. Le désert. On est descendu à Sedan. Un chef de culture allemand, en bottes de cheval, sa cravache à la main, nous attendait.

Union générale des israélites de France.

51

Dix kilomètres jusqu'à un village où il ne restait plus que l'épicerie-buvette. Six cents hectares de terre à cultiver par trois cents personnes : des Polonais que j'ai vus battus à l'arrivée, des prisonniers français libérés sur parole, et les pouilleux d'entre les pouilleux, nous, les Juifs, répartis par groupes de quatre dans les fermes. On bossait comme ça, du matin au soir, été comme hiver sauf le dimanche, obligés de porter l'étoile même pendant les moissons, les battages… C'est là que j'ai lu, lu, autant que je pouvais. Dans mon groupe, il y avait un David, comme toi, qui avait emporté Victor Hugo et Montaigne et qui m'expliquait Freud et Marx après les journées de chien qu'on passait. Je lui dois tout, à ce David-là…

Les mains de Jacques se sont agrippées à mon genou, fort, fort.

– Un jour, l'église du village a brûlé. C'était les Juifs, évidemment. On nous a rassemblés. Par chance, les gosses du village se sont dénoncés. Sinon… Ça aurait peut-être mieux valu. Et puis l'hiver est venu, moins douze degrés. Mais il n'y avait pas grand-chose à faire, juste à trier les patates, arracher les germes… Et trouver n'importe quoi pour ne pas geler.

« Et puis le 3 janvier 44. Pourquoi je me rappelle le jour exact ?

« Un jour aussi pourri que les autres. Le chef de culture est venu à la ferme. Il a aboyé.

« – Tous les Juifs sur la place, dans dix minutes !

« Il a tourné les talons.

« J'ai regardé David. Il a souri. Avec les deux autres, on a ramassé une boule de pain et nos couvertures, sans un mot. Il n'y avait pas loin jusqu'à la place. Un camion bâché nous attendait. Le moteur ronronnait. Trois soldats allemands et un conducteur SS. On est monté. On est parti jusqu'au village suivant. Et du village suivant jusqu'au village d'après. Un gosse de quinze ans a murmuré.

` « – Ils ont ordre de rassembler les six cents Juifs du département. La même inquiétude dans tous les yeux.

« Les deux soldats assis au bout du camion semblaient dormir, appuyés sur leur fusil, les mains glacées.

« Et encore d'autres villages. Les derniers arrivants étaient debout. David me regardait. J'avais réussi à sortir mon couteau de poche et, aussi vite que je pouvais, je découpais les lanières de cuir qui retenaient la bâche, derrière moi. Le silence, la neige, tout me faisait croire qu'on entendait chaque millimètre entamé. David n'a plus regardé. Et puis le camion est entré doucement dans Charleville-Mézières avec sa cargaison juive. Il s'est arrêté juste devant la gare déserte.

« – Saute, a chuchoté David.

« Il s'est mis debout pour me protéger. Je me suis laissé glisser du camion. J'étais dans la neige. J'ai fermé les yeux. J'attendais qu'ils tirent sur moi. Rien. Personne n'avait rien vu. Et soudain je me suis mis à courir avec mes sabots. Je les ai perdus. J'ai pris la première rue à gauche. Je suis entré dans la première maison, j'ai grimpé jusqu'au deuxième étage et je me suis laissé tomber contre une porte de palier. Je te jure, je te jure, David, que je n'ai pas pensé aux autres, à ce qu'ils allaient devenir. Je n'ai pensé qu'à moi. A me réchauffer. Je tremblais de froid et j'étais en sueur en même temps. Mes poumons me brûlaient. J'avais tellement couru. Et cette balle que j'attendais, dans le dos…

Jacques m'a rentré ses ongles dans le genou. Je n'ai pas

senti la douleur. J'étais avec lui dans sa course éperdue, attendant comme lui la balle meurtrière qui ne venait pas. J'étais aussi dans le camion bâché de ces petiots partis avec Lonia et qui ne rentreraient jamais. Jacques s'était échappé. Moi, j'étais arrivé trop tard pour être embarqué.

Ma tête tournait. J'étais Jacques. J'étais tous les enfants raflés. J'étais son copain David parti dans un wagon à bestiaux pour Auschwitz. J'ai senti la douleur à mon genou. J'étais bien David Grunbaum, à nouveau.

Jacques respirait profondément.

– Je dois finir mon histoire, David, même si elle doit te faire mal. Si tu savais comme ça me fait du bien d'en parler. Jamais, jamais depuis que je suis rentré, je n'ai rien dit.

Et il disait.

– Je me suis endormi sur le palier, en boule, comme un chien mouillé, de larmes, de neige. C'est la voix d'une femme qui m'a réveillé. Elle braquait sur moi une lampe torche. Nuit noire dans la cage d'escalier. Qu'est-ce que je faisais là ? Depuis combien de temps ? J'ai sursauté. J'ai tiré mon couteau de ma poche. Et puis j'ai tout déballé en vrac. Juif, évasion, camion bâché, SS, pendant qu'elle me soutenait pour me faire entrer chez elle. Un petit studio. Mais il faisait chaud, chaud. Elle m'a désigné un cosy. Je me suis assis. C'était une jeune femme blonde. Elle est revenue de la cuisine un verre de vin rouge et un énorme morceau de pain à la main. J'ai mangé comme un sauvage. J'ai avalé mon verre d'une traite. Ça brûlait. Et je me suis endormi pour la nuit. Le matin, c'est l'odeur du café qui m'a réveillé. Le bonheur. Et puis ma tête que j'aurais bien voulu voir dans une glace. En face de moi, la

54

jeune femme blonde, en habit d'auxiliaire de l'armée allemande. Avant que j'aie pu parler, elle m'a rassuré.

« – Ne crois pas que tous les Allemands…

« Je n'ai pas voulu entendre la suite. Il fallait que je parte. Elle m'avait préparé une paire de bottes à ma taille. Par quel miracle ? Elle m'a tendu des tickets de pain, de l'argent et un bout de papier.

« – Va à cette adresse de ma part. Ils sont prévenus.

« J'ai dit merci. J'ai tout pris. Je suis parti. Et elle continuait toujours.

« – Ne crois pas que tous les Allemands…

« J'ai claqué la porte.

Jacques s'est mis à rire. Il m'a tapé sur la cuisse.

– Allez, David, viens te recoucher. Ça ne sert à rien, les vieilleries. Demain, on se lève tôt.

J'aurais tant aimé connaître la suite. Jacques le courageux, tout seul, en plein hiver 44. Moi, mon histoire, ce n'était pas grand-chose à côté. Mon Jacques, je ne te quitterais plus. Tu avais tant à m'apprendre.

C'était nuit noire. Jacques dormait. Je gigotais. Il m'avait laissé son histoire en confidence. Il fallait que je sache. Je suis allé m'asseoir sur son lit. Je l'ai réveillé.

– Dis-moi, Jacques. Toi et moi, tous les grands, on peut raconter ce qui nous est arrivé. Mais les petits, les tout petits ?

Il s'est retourné.

– Dors, on verra ça plus tard.

Mais plus tard, le lendemain, le surlendemain, la question était encore là, toujours, qui m'empêchait de rire même lorsque Maxime s'emmêlait les jambes pour shooter tout bêtement dans un ballon. Il était pourtant drôle, s'y reprenant à cinq ou six reprises, pour rater à la fin. Hélène, Pierre, Samuel, Paula n'en pouvaient plus, pris de fou rire. Je les regardais, mes questions toujours en tête. Que peuvent-ils conserver de ce qui leur est arrivé ? De quoi se souviennent-ils ? Ont-ils encore des souvenirs, des vrais ? Ils avaient trois, quatre ans lorsqu'on les a arrachés à leurs parents. Peuvent-ils dire aujourd'hui leur détresse d'autrefois avec des mots ? Peut-être leur souffrance était-elle plus terrible que la nôtre parce que murée dans le silence.

Je me sentais mal. Encore plus mal lorsque Pierre, au cours d'une promenade, sans rien demander, ramassait une branche morte devenue fusil, et qu'il partait se cacher dans les fourrés. Il jouait à la guerre. Ils jouaient tous à la guerre, en hurlant, en riant. Ils faisaient des prisonniers qu'ils tuaient aussitôt, à bout portant. Je prenais sur moi pour ne pas les claquer. Petits cons ! Comme si la guerre était un jeu.

A qui me confier ? Jacques avait dit qu'on verrait plus tard mais entre-temps Sarah était revenue. Et Jacques ne parlait que de Sarah.

– Je t'avais bien dit qu'elle était formidable. Hein, David ? Je ne t'avais pas menti. Cette fois-ci, elle n'a pas réussi à ramener le gosse qu'elle est allée chercher, mais l'Organisation s'en occupe et prend la suite. Elle a fait un sacré boulot. Ici, elle est extraordinaire. Si tu savais.

Je l'ai coupé sèchement.

– Que tu es amoureux d'elle ? Oui.

J'ai vu Jacques rougir. Un spectacle-vengeance. Une mesquinerie que j'ai regrettée plus tard. J'ai savouré, sur l'instant, le rose de sa peau qui virait au rouge bifteck, ses mains qui se tortillaient, ses mots qui le trahissaient.

– Mais qu'est-ce que tu racontes ? C'est pas vrai. T'as pas le droit de…

J'avais tous les droits de la jalousie. Sarah m'avait volé Jacques. Depuis qu'elle était arrivée, il virevoltait autour d'elle. Il devançait ses désirs. Il la remplaçait aux douches des petits. Il attrapait le torticolis à table en essayant de la voir. Tous les prétextes lui étaient bons pour l'approcher. Et le soir, dans notre chambre, c'était Sarah qui revenait. Sarah de jour et de nuit.

Jacques s'est essuyé le front en soupirant.

– David, ça se voit tant que ça ?

– Mais non. Mais non. Il n'y a que toute la maison d'enfants qui le sait. Dehors, en ville, la nouvelle n'est pas encore arrivée.

Jacques m'a regardé, stupéfait.

– Je suis si balourd ?

– Pour un ours, pas tellement.

– Allez, arrête de te foutre de moi.

Je ne me fichais pas de lui. J'étais jaloux, c'est tout. Je ne supportais pas les sourires que Sarah lui rendait. Je voulais savoir ce qu'ils cachaient vraiment. Et Jacques n'a pas compris ma question stupide.

– Mais elle, elle t'aime ?

Il s'est tu. Il a nettoyé ses lunettes avec un bout de son maillot de corps.

– Je n'en sais rien. Je ne lui ai jamais demandé. Je n'ose pas.

Jacques n'a pas davantage compris mon grand sourire ni mon « Allez, j'éteins. J'ai besoin de dormir. »

C'est moi qui n'ai pas trouvé le sommeil. Sarah !

Depuis quinze jours qu'elle était parmi nous, tout avait changé. Comme un vent printanier* – oh pardon ! – dans l'épaisseur de l'été, la répétition des jours, le mortel ennui de mes questions sérieuses. J'avais tout mis au rebut. Moi aussi j'aimais Sarah. Mais en vrai secret. Elle avait vingt ans, les cheveux roux, et des yeux verts, vifs, piquants, espiègles.

Elle était la vie.

Je suis tombé amoureux d'elle à notre première poignée de main. J'ai rougi moi aussi, mais à l'intérieur. Il ne me restait plus, hypocrite, qu'à boire les paroles de Jacques pour m'enivrer de Sarah. Nul besoin de plastronner. Je me faisais tout petit en sa présence. Un sourire me suffisait et les confidences de nuit de mon pauvre Jacques.

– Elle n'est pas comme nous. Si elle est ici, c'est parce qu'elle l'a vraiment voulu. Elle aurait très bien pu rester avec ses parents, poursuivre ses études. La chance qu'ils ont eue ! Pas une déportation. Pas un mort. Et Sarah a tout abandonné pour « la cause ».

– « La cause ? »

– Arrête de faire le mariole. Pour Eretz-Israël et pour aider les mômes restés seuls.

Jacques s'enflammait de nouveau. Je grappillais les informations au jour la minute.

Et durant cette nuit sans sommeil, rassuré par la gaucherie de Jacques, je me suis juré que je lui volerais sa Sarah. Comment ? Je l'ignorais. Mais j'en avais la certitude. Sarah – la tendresse quand elle consolait un petit,

---

L'opération « vent printanier » désignait la grande rafle du Vel' d'Hiv, les 16 et 17 juillet 1942.

qu'elle lui parlait à voix basse. Un rire. Une pichenette sur le nez. Et la joie retrouvée. J'aurais aimé être petit, tout petit.

Je savais mes gestes semblables aux siens. Je savais consoler. Mais nul ne savait me consoler. Je rêvais de Sarah.

J'ai cru entrer dans sa vie sur la pointe des pieds, pensant prendre une miette d'importance un matin où j'accompagnais mes gamins dans la salle d'étude. Une pièce austère avant l'arrivée de Sarah mais qu'elle avait su décorer aux couleurs de l'avenir. Elle avait elle-même dessiné une immense carte de la Palestine, notre Eretz-Israël où, dans un rouge lumineux, ressortaient les implantations juives. Tout au nord Metoulla, puis Safed et cette longue écharpe le long de la Méditerranée : Haïfa, Natanya, Herzlia, Tel-Aviv, Jaffa, Petach-Tikva, Richon-le-Sion : noms magiques, chantants, qui effaçaient la lugubre litanie des camps libérés. Buchenwald. Ravensbrück. Mathausen. Dachau. Orianenburg. Flossenburg. Bergen-Belsen. Treblinka. Auschwitz. Il fallait tout apprendre. Ne jamais oublier. Mais apprendre aussi de nouveaux noms que Sarah, de sa main qui courait sur la carte, faisait répéter à tout son petit monde, assis comme à l'école, bras croisés.

– Acre. Beershéba. Jérusalem !

C'était la première fois, depuis que Sarah remplaçait madame Berman dans cet exercice d'histoire-géographie, que je n'ai pas suivi Jacques dehors, le temps de nous balader dans le parc ou de bronzer au soleil, à refaire le monde. Adossé contre le mur du fond, je me suis surpris à répéter des mots jusqu'alors inconnus. Subitement, ma voix a recouvert les piaillements des gosses. Sarah s'est retournée, vite, incrédule. C'était moi, hurlant « Jérusalem ». Le sourire et le regard qu'elle m'a offerts m'ont fait perdre mon sérieux. Et sans que les enfants comprennent, nous avons ri, Sarah et moi. Puis je suis redevenu un élève très studieux jusqu'au moment où…

Sarah a quitté son immense carte pour s'intéresser au panneau où elle avait tracé, en majuscules et minuscules, les lettres de l'alphabet hébreu. Sur leur cahier, les gosses, tirant la langue, recopiaient tant bien que mal les lettres carrées que leur désignait Sarah. Je me suis penché sur les gribouillis de Maxime. Dans le silence appliqué, je me suis mis en colère, sans raison.

– Mais c'est un *bet*, Maxime, pas un *gimel*! Tu ne vois pas ?

Je lui ai arraché le crayon des mains et j'ai tracé le *bet*. Ma vue s'est brouillée. Un vertige. Je me suis retenu à la table. J'étais appuyé contre le fauteuil de papa qu'il ne fallait surtout jamais déranger lorsqu'il lisait *Unsere Stime*. Je m'emplissais de tous ces signes biscornus que papa parcourait de droite à gauche. Il passait sa main sur mes cheveux, désignait une lettre du doigt.

– C'est du yiddish, David. Tiens, je vais t'apprendre un peu, tu veux ?

Sous le regard de maman, je répétais sans me tromper.

– *Alef*, *bet*, *vet*, *gimel*, *dalet*, *he*, *vav*, *zaïn*…

Papa posait son journal, me soulevait et m'embrassait. J'ai senti une main s'accrocher à mon bras. J'ai marché au grand air sans comprendre qui m'accompagnait. J'ai cru entrevoir Jacques se précipiter vers la salle d'étude.

Peu à peu, j'ai entendu la voix chantante de Sarah.

– Ce n'est rien, David. Ce n'est rien. Assieds-toi. Respire lentement.

Sa main fraîche sur mon front.

Sarah s'est assise à côté de moi, dans l'herbe du parc. Je n'ai pas pu, su, voulu me retenir. J'ai éclaté en sanglots. Pour cacher ma honte, j'ai posé mon visage sur sa cuisse tandis qu'elle caressait mes joues trempées de larmes. Elle m'accueillait contre elle. Chaleur, douceur d'un bercement de femme. J'ai posé ma main sur la sienne. L'étreinte de nos doigts. Un trop bref instant. Sarah s'est relevée dans la précipitation, bafouillant devant Jacques accouru aux nouvelles.

– Juste un malaise… Je vous laisse…

Elle s'est sauvée mais elle s'est retournée pour un dernier regard.

Jacques crevait d'envie de savoir, crevait de jalousie. Il n'a rien dit. Il est tombé malade.

Chaque jour, dès que je pouvais, j'allais le voir à l'infirmerie. Une maladie bizarre sous forme de fièvre-montagnes russes. Le médecin ne s'inquiétait guère. Un virus. Ça passerait.

Des nouvelles du dehors ? Elles ne manquaient pas. Jacques redressait son oreiller, posait *Le Manifeste* de Marx qu'il semblait apprendre par cœur et croisait les bras.

Les Américains avaient lâché deux bombes atomiques sur Hiroshima et sur Nagasaki. Les Japonais avaient capitulé. La guerre était terminée.

Jacques s'est tourné vers moi, désabusé.

– Quand on dénombrera les morts…

– Peut-être, mais c'est la fin, Jacques, la fin. C'en est fini de cette saloperie.

Jacques était plus prudent.

– Et dans combien de temps les hommes vont remettre ça, sans avoir rien compris ?

– Parce que tu crois…

– J'en suis sûr. La paix, c'est l'exception.

– Tu charries, Jacques. Tu penses qu'ils n'auront pas compris ?

– Ils n'ont pas compris après 14-18. Ils croyaient que c'était la dernière. Tu as vu ce que ça a donné. Alors pourquoi ils comprendraient cette fois-ci ?

– Qu'est-ce qu'il faut faire, alors ?

– Éduquer les gosses, donner l'exemple, accepter de partager ce qu'on a. Aller vers le socialisme. Regarde ce qu'ils font dans les kibboutz. Chacun reçoit selon ses besoins. Un monde d'égalité, c'est un monde de paix… Mais tout, tout, passera par l'éducation.

Je croyais entendre les discours à répétition de madame Berman. Et Sarah n'apprenait pas autre chose aux gosses.

J'étais plus réticent. Les adultes n'avaient cessé de me mentir. Et puis les jalousies, les petitesses, je les voyais au cœur de la maison d'enfants. Mais ils avaient tous l'air si convaincus que je me laissais convaincre, avec un quelque chose dedans qui disait pourtant « non ». Pendant la guerre, Lonia ne parlait pas de kibboutz. Elle parlait des soviets, du monde meilleur, la même chose en fin de compte. Oui, le monde serait meilleur.

Moi, j'étais menteur quand Jacques m'interrogeait sur les nouvelles du dedans.

Je moulinais davantage de détails qu'il n'en fallait pour camoufler ce qui s'était passé avec Sarah. Le petit Michel qui venait d'arriver et que tous les autres enviaient. Ses parents le laissaient ici le temps de trouver un logement. Ils reviendraient le chercher. Et, presque chaque jour, je lisais à Michel une lettre de ses parents, devant les autres. Impossible de les écarter. Ils voulaient entendre « Nous t'embrassons très très fort. A bientôt. Ton papa et ta maman. » Ils récitaient tous la dernière phrase en chœur. Michel m'arrachait les lettres et partait les cacher sous son oreiller. Hélène, Pierre, Samuel, Paula ne recevaient jamais la lettre qu'ils attendaient.

Jacques m'écoutait. Je lui parlais de Sarah avec détachement, honteux de mentir par omission. Il m'écoutait encore, patiemment. Puis un jour, il a explosé. Il s'est levé de son lit, il a arraché les draps, balancé l'oreiller et Karl Marx.

– J'en ai marre, marre d'attendre, marre d'être comme en prison. Tu ne sais pas ce que c'est. Tu ne sais pas. Je veux sortir. Je veux voir dehors, les rues, les gens.

Il a pris sur lui et s'est calmé.

– Rester là, tout seul, ça me rappelle trop de souvenirs, même si vous venez tous me voir.

Il fallait qu'il raconte.

– Après mon évasion, je suis passé en Belgique. Évidemment, à la première patrouille, je me suis fait ramasser. Les Allemands cherchaient les réfractaires au S.T.O. Je n'avais aucun papier sur moi. J'ai inventé n'importe quoi. Et je me suis retrouvé devant un tribunal militaire. Neuf mois de prison. A l'annonce de la condamnation, j'aurais pu embrasser l'officier. Il me sauvait la vie… Cellule 31AIII. Grande comme cette infirmerie mais à dix dedans, de tous les âges. Moi, j'étais le plus jeune des « politiques ». Et la méfiance, immédiatement. Peut-être que j'étais un « mouton ». Personne ne m'a adressé la parole pendant des jours et des jours. Ils avaient tous peur que je dénonce ce qu'ils faisaient : fumer en cachette… ou ce qu'ils avaient fait. Je ne comprenais rien. J'avais besoin de dire ce qui m'était arrivé, qui j'étais, pour de vrai, confier que j'étais juif et qu'ils me prennent sous leur protection. Rien. Lever à six heures, déjeuner je ne te dis pas quoi, dix minutes de promenade par jour, dîner à dix-huit heures et extinction des feux à vingt heures. Le pire, c'était les toilettes. Faire ça devant tout le monde, dans un seau, même si chacun se retournait… Et ça puait toute la journée, toute la nuit. Et rien à faire pendant des jours et des jours…

Jacques a juste marqué une pause. Il regardait droit devant lui. J'avais cessé d'exister. Mais il a repris par mon prénom.

– David, quand je te parle d'horreur, il faut me croire. Tous les matins à la même heure, les Allemands venaient chercher un homme de quarante ans, un cheminot qui avait été dénoncé pour le sabotage d'une locomotive. Il revenait une heure plus tard couvert de bleus et de plaies. Et sur les plaies ils avaient mis du sel… Un jour, il est revenu avec un sourire triste. « Ils viennent de me condamner à mort. J'ai demandé ma grâce. Dans quinze jours, j'aurai la réponse. » Ils lui ont foutu la paix. Mais quinze jours plus tard, ils sont revenus le chercher dans la cellule. En revenant, il n'a pas dit un mot. Il nous a embrassés les uns après les autres. Je sens encore ses mains sur mes épaules. Il les serrait fort, très fort. Personne n'a fermé l'œil de la nuit. A l'aube, dans la cour, il a hurlé « Vive la Belgique ». Et le peloton d'exécution a tiré. On s'est déchaînés. De toutes les cellules, ça a été un concert de gamelles frappées contre les barreaux, contre tout, n'importe quoi. Puis le silence est revenu. C'était le jour de mes vingt ans.

J'ai regardé Jacques à la dérobée. Son front ruisselait. Il se tordait les mains. J'ai baissé la tête.

– On s'est mis à espérer. On a appris le débarquement. Les surveillants des droits communs nous faisaient passer les informations pendant les promenades. C'était presque la fin. Un début d'espoir. Et puis la nouvelle qui tombe. Cinquante otages seront choisis dans la prison et fusillés le lendemain. Le frère d'un collabo venait d'être abattu dans sa pharmacie. Un officier est entré dans la cellule. Tu ne sais pas ce que c'est que le regard de quelqu'un qui se pose sur toi, qui te quitte, qui revient et qui s'arrête sur ton voisin. Tu viens d'échapper à la mort. Mais l'autre, c'est à l'aube qu'il hurlera ou se taira sous les balles. Ils en ont assassiné cinquante dans la cour. « Vive la Belgique. Vive la France », comme tous les jours… On savait tout maintenant de l'avancée des alliés sauf qu'on était dans la poche de Bastogne en pleine contre-offensive allemande. Ça pétait de tous les côtés. Trop con de mourir sous les obus américains ou anglais ! Puis le silence. Le silence total. Deux jours entiers sans manger, sans boire, sans que la clef tourne dans la serrure. Et soudain des hurlements, des portes qui claquent et un soldat anglais qui ouvre la cellule. « Vous êtes libres. » Je me souviendrai toujours de cet Anglais qui nous a tendu des cigarettes. Libre. Tu te rends compte, David, j'étais libre. Libre de voir la cour de la prison. Ils lynchaient les soldats allemands qui n'avaient pas fui, qui savaient que c'était fini pour eux. La boucherie. Je suis sorti. J'ai vomi. On n'a pas le droit de tuer comme ça. Il fallait les juger.

J'ai pris la main de Jacques. Elle tremblait.

– Tu peux t'en aller, David. J'ai besoin d'être seul pour

pleurer. Ça me fera du bien. Merci de m'avoir écouté. Merci.

Je l'ai quitté. Moi aussi, ça m'a fait du bien d'aller me réfugier dans la cabane d'Indien, au fond du parc, que j'avais construite avec les enfants, pour pleurer aussi.

Le nouveau pays que madame Berman nous promettait serait de lait et de miel. Elle avait oublié les larmes.

Mon bref passage dans la cabane d'Indien m'avait changé, changé sans que je comprenne. Après les pleurs, la gigantesque colère, irrépressible. Marre de ramasser tous les jours des coups plein la gueule, d'aller de plaies en bosses, de souffrances en horreurs. Marre d'être l'enregistreur du malheur de chacun. D'accord, il avait existé, mais j'étais là pour vivre, pour rire, pour aller de l'avant. Oui, je souffrais avec Jacques, Maxime, Pierre, Hélène, Samuel, Paula… Mais il était temps que ça cesse. Une envie de tout envoyer paître. Assez. Assez. J'avais pris trop de coups à l'estomac. Encore un direct et j'étais au tapis.

Sarah, durant la première semaine de maladie de Jacques, m'avait rendu au cœur des coups oubliés depuis trop longtemps. Ils étaient doux à côté des châtaignes des camps, des caches, des prisons. Bonheur de la chair de poule quand je rencontrais Sarah. Bonheur de l'estomac noué, des mains moites, bonheur des nuits sans sommeil à la recherche de ses lèvres sur mon oreiller. Bonheur des malheurs de l'amour.

Ils avaient commencé par l'étreinte de nos mains, un jour. Ils s'étaient poursuivis par une partie de cache-cache. Sarah semblait m'éviter, me laissant le cul sur l'herbe avec mes interrogations. Regrettait-elle ? Est-ce que j'étais juste un gosse de plus à consoler, pour elle qui avait vingt ans ? Mais son sourire ? Mais son regard ?

Je les ai retrouvés un jour de congé que j'avais décidé de passer seul, torturé d'incertitudes.

Au moment où je sortais de l'infirmerie, c'est elle qui m'a abordé, chemisier blanc, jupe grise, talons plats.

– Tu veux bien m'accompagner à la mairie ? Je dois inscrire les gosses à la communale pour octobre.

Elle portait une liasse de documents à la main. Mais sa question n'en était pas une. Elle m'ordonnait de la suivre.

Je l'ai suivie. A vélo à travers la forêt, avalant les moucherons et dévorant Sarah de dos. Qu'est-ce qu'elle voulait, après m'avoir ignoré une semaine entière ? Elle se retournait parfois, juste le temps d'un sourire, et poursuivait son chemin, droite. Le hasard n'y était pour rien. Elle m'avait bel et bien attendu, surveillé alors que j'allais demander à Jacques s'il voulait que je lui rapporte quelque chose. A moins que je ne me raconte des histoires, assis au soleil, sur les escaliers de la mairie, tandis qu'elle faisait ses démarches. J'avais chaud. J'avais froid. Je sentais la main de Sarah caresser mon visage, se pencher sur moi. Et le temps n'en finissait pas. J'ai posé mes mains sur la pierre chaude. Impossible de me réchauffer. J'ai attendu, la tête sur les genoux, dans le silence d'une petite place de village, déserte à dix heures du matin.

Une main glacée s'est posée sur ma nuque. Je n'ai pas levé la tête. Sarah s'est assise à côté de moi. Quand elle a voulu retirer sa main, je l'ai retenue.

– Excuse-moi, David. Je sais que tu m'en as voulu toute la semaine. Mais pour moi, ça n'a pas été plus facile. Viens, je vais t'expliquer.

J'ai serré, serré sa main avant de regarder Sarah, ses yeux verts si sérieux. J'ai relâché mon étreinte. J'ai pris

son visage entre mes mains. Doucement j'ai embrassé ses lèvres. Elle a mis ses mains autour de mon cou.

– Je t'aime, David. Ne me demande pas pourquoi. Je n'en sais rien. C'est comme ça.

Je ne demandais rien. Sarah s'était pelotonnée contre moi. Seuls dans une clairière, en lisière d'une piste cavalière : longue trouée de sable fin dans l'immensité de la forêt.

Elle m'a parlé de cette semaine atroce, pour elle, pour moi.

– J'étais perdue, David. Si tu crois que je n'ai pas pensé à toi. Je te voyais malheureux et je n'y pouvais rien. Je t'ai écrit chaque soir. J'ai déchiré les lettres. Je voulais t'expliquer, te dire d'attendre, de croire en moi. Et je m'en voulais chaque jour un peu plus.

Sa voix si faible et ses larmes douces. J'ai pressé son épaule.

– Je t'aime, Sarah. Je t'aime. Tout ça, c'est du passé.

– Mais tu ne sais rien, David. J'avais tellement envie de te voir. Mais il fallait que je me cache de tous, que je fasse semblant de rien, sinon c'était fini pour nous.

J'étais vraiment perdu. Se cacher ? Mais qu'est-ce qui était vraiment fini ?

– Explique-toi clairement, Sarah. Je ne comprends rien. Vraiment rien.

Un long silence. Sarah m'a pris la main avec violence.

– Je tiens tant à toi, David. Si madame Berman avait su, alors tout était fichu.

Plus Sarah expliquait, moins je comprenais. Voilà madame Berman qui pointait le museau. Pour qui ? Pour quoi ?

A force de jouer les Sherlock, j'ai pu reconstituer l'invraisemblable vérité.

Sarah était allée trouver Jacques. Elle ne pouvait se confier qu'à lui. Les deux autres bécasses, Rivka et Ginette, seraient allées caqueter. Jacques n'avait pas bronché. Sarah lui avait avoué son secret. Blessures de la vérité. Pauvre Jacques.

– Il m'a approuvé, David. Il ne pouvait pas faire autrement. Pour la suite, je me suis arrangée avec madame Berman. Je lui ai parlé de toi pour le départ. Elle a donné son accord. Mais à partir de ce moment, il ne fallait pas qu'on nous voie ensemble. Sinon, tout aurait capoté.

– Mais de quel départ tu parles, Sarah ?

– Au camp de préparation pour l'Alyah*. Nous allons en Eretz-Israël… Tu es content, David ? Tu comprends, maintenant ?

Je comprenais. J'ai repoussé Sarah avec violence. Une fois encore mon sort se décidait sans moi. J'ai ramassé une branche morte que j'ai envoyée valdinguer contre un tronc. Israël au bout du chemin sans que je demande quoi que ce soit. Madame Berman décidait de ma vie.

Je n'ai pas trouvé de mots moins forts.

– Mais vous vous conduisez comme les Nazis. Vous déportez les gens et ils devraient dire merci ? Pourquoi ne pas leur coudre une nouvelle étoile jaune ?

J'ai vu Sarah se jeter par terre, en sanglots.

– Excuse-moi. Excuse-moi, David. Mais je t'aime. Je t'aime. C'est pour toi, pour nous que j'ai fait ça, pour ne pas qu'on soit séparés. Je serais partie. Je ne t'aurais jamais revu.

Vague d'immigration vers Israël.

Ma colère est tombée d'un coup. Je comptais donc enfin pour quelqu'un. Je n'étais pas un de ces pris-en-charge par l'Organisation, un de ces poids morts à devoir placer. J'étais David, aimé par Sarah.

Et tant mieux pour son tour de passe-passe. Merci d'avoir vanté mes vertus collectives pour la naissance d'un nouvel État. J'étais quelqu'un à ses yeux. J'étais redevenu quelqu'un aux miens.

Je me suis accroupi. J'ai passé mes mains sur les cheveux de Sarah, sur ses épaules, son corps. Je l'ai enlacée. Elle m'a souri. A mon regard, elle pouvait avoir la certitude que je la suivrais partout.

Sarah était debout, heureuse, regardant une tache d'herbe mouillée sur son corsage.

– Je dirai que j'ai dérapé.

Sarah rieuse. Sarah menteuse.

– Si je suis avec toi, aujourd'hui, c'est un coup monté par madame Berman. J'avais une mission bien définie : prendre la mesure de ton attachement à la cause. Tu viens de réussir l'examen de passage. Mon rapport sera d'une totale objectivité.

Je me suis raidi.

Elle m'a pris la main.

– On ne se quittera plus, David.

– Oui, et ça nous permet de ne plus avoir à nous cacher.

Merci, madame Berman. Une journée avec Sarah. Je ne savais rien d'elle. Je voulais tout savoir. Questions naïves, place du Vieux-Marché, à Saint-Germain-en-Laye. Questions inquiètes sur la terrasse. Baisers volés. Baisers échangés. On est très sérieux quand on a dix-sept ans. C'est Sarah qui passait l'examen.

– Mais pourquoi tu as quitté tes parents sans rien dire ?

Ils doivent être morts d'angoisse, te rechercher partout ?

– Si tu savais l'avenir qu'ils me promettaient ! Ils ne parlaient que de fric. Leur vie se résume à ça. Pour mon père, qui fait fortune dans la récupération de métaux, le monde se divise en deux. Les cons qui ont moins bien réussi que lui et les salauds qui, eux, ont mieux réussi. Ma mère, elle, exhibe ses bijoux et me cherche un mari, riche, évidemment. Tu te rends compte ?

J'ai dit oui par honte de dire non. Sarah avait raison mais elle avait ses parents. Si j'avais seulement eu les miens, ils auraient pu être, faire, dire, penser n'importe quoi. Ils auraient été là.

– David, qu'est-ce qui se passe ? Tu as l'air triste.

– Rien, je pensais juste à des trucs…

Sarah m'a laissé à mon silence. Elle a frôlé mes lèvres de ses doigts.

– Tu ne t'imagines pas l'enfer, à la maison. Alors un jour, à cause d'une copine qui appartenait à un groupe sioniste, j'ai pris la fuite. Je ne leur ai plus jamais donné de nouvelles. Du moment qu'ils avaient sauvé leur peau et leur pognon pendant la guerre, les autres ne les intéressaient pas. Il y avait pourtant tellement de gosses à sauver. Je m'en suis occupée. J'ai appris l'hébreu. J'ai appris aussi qu'il pouvait y avoir un pays pour nous où chacun recevrait selon ses besoins…

Sarah passionaria. Nos doigts enlacés quand elle parlait du kibboutz.

– David, ça sera tellement différent. Tous égaux. Plus d'argent. Plus de cette pourriture petite-bourgeoise.

Sarah, tout ce que tu voudras.

Journée finie trop vite, achevée sans que j'ose demander si Sarah avait déjà aimé quelqu'un. Derniers baisers.

Et deux jeunes gens très sages, leur vélo à la main, ont poussé la grille de la maison d'enfants.

Je me suis précipité à l'infirmerie. Jacques a sursauté.
– Pourquoi tu ne m'as pas dit que tu savais tout, Jacques ? Sarah m'a raconté.
Il m'a fixé tristement.
– J'espérais que ça allait rater.
Il a retrouvé le sourire.
– J'étais jaloux, voilà. Et je suis encore jaloux. Mais c'est tellement peu de chose à côté de ce qu'on va faire maintenant. Ne t'inquiète pas, ça passera.
J'étais abasourdi devant cet abandon sans lutte. La bénédiction de Jacques ! Moi, je me serais battu bec et ongles, dents et poings s'il l'avait fallu. Et lui qui me regardait en souriant. C'était ainsi. Il n'y avait rien à comprendre. Jacques serait toujours bizarre.
Je me suis approché du lit. Je me suis assis à ses côtés et je l'ai embrassé.
Qu'il guérisse vite. Tous les trois nous partirions loin, loin. Un monde nouveau nous était offert. Qu'il était beau, vu de France, raconté, transformé, métamorphosé en pays de Cocagne. Même les policiers y seraient juifs, affirmait madame Berman. Le paradis, en somme. Ce martelage m'avait emporté sinon convaincu. J'étais donc enthousiaste. Mais avais-je le choix ?

J'étais une proie malléable. Les arguments de madame Berman portaient juste.
Réunis dans son bureau, Sarah enjouée, Jacques réta-

bli et moi rétif, nous ne pouvions répondre que par des hochements de tête. La France avait trahi nos parents. Leur terre de liberté et d'accueil n'avait été qu'une immense duperie. La France les avait livrés aux SS par convois entiers. La France ne s'était pas mieux conduite que les Polonais, les Hongrois, tous des antisémites. Et que faisait-on aujourd'hui ? Les coupables étaient-ils punis ? Les policiers français qui avaient conduit mes parents au Vel' d'Hiv étaient toujours en place. On en avait même décoré quelques-uns pour s'être rebellés à l'arrivée des troupes américaines. Non, la France ne valait rien. Seul un pays où les Juifs seraient leurs propres maîtres éviterait l'antisémitisme puant.

Eretz-Israël.

Mais, tandis qu'elle assenait des vérités de propagande, je pensais à tous ceux que j'avais côtoyés pendant la guerre et qui n'étaient pas ces Français de merde que madame Berman nous dépeignait. Sans madame Bianchotti qui m'avait recueilli, sans son frère jésuite, sans mon gros ours paysan de monsieur Rigal, sans Pimpin, sans tous les autres que je ne connaissais pas, je n'aurais pas été assis dans ce bureau à écouter madame Berman les couvrir de salissures. Non, tous les Français n'avaient pas été des salauds. Mais je me taisais. Ce n'était pas de la lâcheté, plutôt une incompréhension vertigineuse. Je regardais Sarah et Jacques boire les mensonges. Tout n'était pas noir. Tout n'était pas blanc. Je n'avais pas le cœur à le dire : j'aurais été exclu de « ces hommes et ces femmes qui allaient construire un pays neuf ». Je n'aurais plus vu Sarah. J'aurais été écarté du secret, de cette excitation du départ imminent.

Ma joie n'avait d'égale que mes doutes, vite effacés par

les mots de Sarah, les baisers de Sarah, nos caresses, nos rires de bonheur.

Mais c'est dans cette France de merde qu'on allait laisser Maxime, Hélène, Pierre, Samuel, Paula ? Que leur dirait-on ? Qu'est-ce que j'allais leur inventer ? Mais restez donc dans ce pays pourri, apprenez bien à l'école, soyez bons en français, moi je m'en vais.

– Ne te braque pas, David. Plus tard, ils nous rejoindront, quand Eretz-Israël sera un vrai pays. Aujourd'hui, on a besoin de pionniers.

J'étais convaincu sans l'être. Une minute conquérant, une seconde retrouvant ma rogne contre l'injustice, le mensonge des adultes, leurs compromis inacceptables.

Je n'ai pas souri aux photographes venus immortaliser le renouveau juif pour le journal de l'Organisation. Sarah avait beau me jeter des regards suppliants, j'avais ma tête des mauvais jours.

Quel carnaval pour l'arrivée des officiels cravatés ou chignonnés ! C'était vendredi. On s'est déguisé en dimanche. Madame Berman a insisté.

– Tous les garçons en chemise blanche, les filles en chemisier blanc.

Et toute la journée on a fait semblant. Semblant de jouer, de faire de la pâte à modeler, de danser la ronde, d'apprendre l'hébreu, de chanter, de manger la bonne nourriture distribuée par le *Joint**. Les enfants ont posé, souriant de bonne grâce. Un jour pas ordinaire qui s'achèverait en photographies truquées et articles gonflés d'optimisme que je me faisais fort d'écrire à la place des journalistes venus pour la vitrine.

Œuvre de charité juive américaine.

« Ces enfants ont réappris à vivre, à rire. Leur malheur est du passé. Ils sauront se montrer dignes de leurs parents, victimes de la barbarie nazie. Un avenir radieux s'ouvre devant eux, guidés enfin par un idéal. »

Comment Jacques a-t-il accepté de participer à cette mascarade ? Comment croire à ces balivernes qu'on allait déverser ? Lui comme moi étions ces enfants qui avions réappris à vivre. Juste un peu plus vieux.

Aux questions qu'on me posait, je répondais sèchement. Non, les gosses n'étaient pas heureux. Bien sûr qu'ils réclamaient, qu'ils attendaient encore leurs parents. Oui, ils faisaient des cauchemars. Qui n'en ferait pas ? Bien sûr qu'on leur disait la vérité. Mais personne n'est obligé d'y croire. Les journalistes m'ont abandonné.

Je me souviens de l'ultime photographie où nous étions tous réunis devant la façade. Photo pourrie que je ne veux jamais revoir même si un jour on l'exhume des archives de cette époque. Tout un home d'enfants encadré par ses moniteurs. Des culs-de-jatte encadrés par des unijambistes. Le deuil en héritage et le sourire forcé devant le petit oiseau qui allait sortir. Ou plutôt si, j'aimerais revoir cette photo pour y déchiffrer, presque un demi-siècle plus tard, ces visages d'enfants que je n'ai jamais revus. Savoir si l'on peut y lire encore les marques d'une souffrance qu'on tentait d'effacer à coups d'improvisation. J'aimerais revoir mon visage fermé qui disait non à la mise en scène, qui disait oui à la vie, n'importe comment, n'importe où. Revoir le David de dix-sept ans, quelques jours avant ses adieux aux enfants. Ce David-là ne m'a jamais quitté.

Un matin, à l'heure de la toilette des gosses, madame Berman est venue me convoquer dans son bureau. Jacques et Sarah s'y trouvaient déjà, en compagnie d'un bonhomme chauve qui m'a serré la main avec chaleur. Madame Berman s'est éclipsée.

Un regard vers Sarah. Elle n'a pas bronché. Jacques m'a fait un clin d'œil. Je me suis assis.

– C'est donc vous, les volontaires ? a dit l'homme chauve. Eh bien, vous partez en fin d'après-midi.

Jacques s'est mis à mordiller ses branches de lunettes. Sarah a pâli, serrant les poings. Je crois n'avoir rien montré mais ma respiration s'est bloquée.

L'homme sans nom a ouvert une serviette. Il en a tiré trois billets de train qu'il nous a tendus.

– Vous serez attendus sur place. Mot de passe : « L'an prochain ». Je dis bien : « L'an prochain ». Pas d'à-peu-près. C'est ce mot-là et pas un autre.

– Comme dans la Résistance, quoi.

Sarah et Jacques m'ont regardé, effarés par cette incongruité qui me libérait de ma peur.

L'homme a souri.

– Oui, comme dans la Résistance. Mais celle-là ne fait que commencer.

Il a refermé sa serviette. Il nous a serré la main. Il est parti.

Nous n'avons pas pu échanger un mot. Madame Berman était déjà là.

– Vous direz au revoir aux enfants. Inventez ce que vous voulez. Moi, je vous dis au revoir maintenant.

Sa sécheresse m'a révolté. Ce n'était qu'un semblant.

Il suffisait de regarder son maintien raide, mal à l'aise. En un instant, sa voix s'est cassée. Elle ne pouvait plus jouer la comédie... Elle ne pouvait davantage nous étreindre tous trois ensemble. Elle l'aurait bien fait. Madame Berman est passée de l'un à l'autre, nous embrassant, un mot à l'oreille, un mot d'encouragement, une taquinerie.

– Jacques, n'oublie pas de descendre quelquefois de tes nuages. Et toi, David, ne joue pas les chiens fous. Sarah, donne des nouvelles à tes parents quand tu seras là-bas. Et quand vous y serez tous...

Elle s'est arrêtée.

Elle m'a serré dans ses bras. J'étais le David qu'elle avait recueilli à l'hôtel Lutétia. Je n'ai fait aucun effort pour retenir mes larmes. Je n'ai pu murmurer qu'un minuscule merci.

A moi de jouer à « comme-si-de-rien-n'était », toute une journée avec mes bambins, reculant l'aveu d'heure en heure. Maxime, Hélène, Pierre, Samuel, Paula, je n'avais aucun rêve à vous vendre. Vous n'étiez pas ces enfants qui attendiez le retour de vos parents dans une maison d'enfants du Lot comme autrefois Maurice, Hanna, les deux jumelles, la toute petite Perla, Ida, Rachel... partis dans les fumées des crématoires. Vous n'étiez que des gosses qui deviez inventer votre vie sans même la photo de vos parents pour vous soutenir. Vous marchiez sur du vide, sans mémoire. Aujourd'hui vous pouviez faire ce que vous vouliez, n'importe quelle ânerie ; vous ne seriez pas grondés.

Curieusement, ils ont été d'une sagesse trop sage, devinant sans savoir. Je les ai regardés. J'ai regardé ma montre. Je n'avais que de l'amour à leur donner. J'ai rompu le vœu secret que j'avais fait, pour eux, pour eux. Peut-être pour moi.

J'ai pris ma grosse voix.

– Suivez-moi dans la salle à manger.

Là, je me suis dirigé vers le piano que je m'étais interdit si longtemps. Je me suis assis. J'ai soulevé le couvercle et les noires et les blanches se sont mises à danser. J'étais le David virtuose de mes parents. J'étais l'enfant des *Sonatines* de Clementi, jouées sans fausses notes, miraculeusement. Les touches volaient, mes doigts glissaient. Au dernier accord toute la maison d'enfants était derrière moi, applaudissant, hurlant.

– Encore, David ! Encore !

Je me suis retourné. Je n'ai voulu voir que Maxime, Hélène, Pierre, Samuel, Paula, et Sarah qui ne comprenait rien. Je leur ai souri. J'ai regardé mes mains. Détachant note par note j'ai joué « Ce n'est qu'un au revoir, mes frères... » J'ai claqué le couvercle. Je me suis précipité dans ma chambre.

Devant la grille de la maison d'enfants, trois jeunes soldats s'en allaient en guerre. Ils l'ignoraient. Jacques portait la valise de Sarah. J'avais les mains crispées à la poignée de la mienne. Sarah a posé sa main sur mon épaule.

– Je leur ai expliqué à ta place, David. J'ai dit qu'on partait s'occuper d'autres enfants. Ils ont compris.

– Ils ont compris que je les abandonnais, oui.

Je suis parti sans me retourner.

Un long voyage, passant par Paris. Juste un changement. Saint-Lazare - Gare de Lyon. Et toujours cette envie folle de m'engouffrer dans le métro retrouvé, de filer vers la rue de Paris, à Montreuil. Oui, non, oui, non. Non.

Sarah m'a pris par la main. Je me suis laissé conduire.

Un compartiment de deuxième classe pour des heures et des heures. Tout était redevenu tellement facile. Plus d'histoires à inventer en cas de contrôle. Plus d'officiers allemands à chaque gare. Rien que des employés des chemins de fer. La vie comme autrefois. Des gens comme autrefois. Ceux qui râlaient contre les restrictions, les tickets de rationnement, qui se mêlaient de tout, de rien, qui refaisaient la guerre, que si ç'avait été eux… Des gens comme autrefois qui se seraient écartés des trois pestiférés qui avaient porté l'étoile jaune, qui les auraient dénoncés, qui se seraient apitoyés. Des cons comme autrefois et quelques braves gens. Mais comment les reconnaître aujourd'hui ? Peut-être étaient-ce ceux qui me souriaient quand Sarah, fatiguée, posait sa tête sur mon épaule ? Ceux qui partageaient leur repas avec nous ? Mais les salauds savent sourire et partager. Il ne restait plus qu'à faire semblant. Ne pas répondre quand un grand-père Verdun m'a pris à partie.

– Vous, les gosses, vous en avez de la chance. La guerre, on peut presque dire que vous êtes passés à côté.

C'est ça. « Presque ». Le mot qui sonnait juste.

Sarah m'a pressé la main afin d'éviter les insultes. Nous nous sommes penchés par les fenêtres ouvertes, avalant l'air et les escarbilles.

– Tu vois, David, cette France-là, ce n'est plus pour nous. Tu comprends mieux ?

J'ai hoché la tête.

A quoi pensait Jacques ? Le front collé à la vitre, perdu ? Au train que les Allemands lui auraient fait prendre s'il n'avait pas sauté du camion ? C'étaient les mêmes locomotives mais les wagons s'appelaient fourgons à bestiaux. Lui pensait peut-être aussi qu'on était « presque » passé à côté de la guerre. Et dans ce train qui n'en finissait pas de rouler vers la Provence, Sarah, Jacques et moi, nous avons revécu nos « presque ».

Le mot de passe était le bon. Sur le quai d'une gare, un homme est venu à notre rencontre. Vieux, la quarantaine ou la cinquantaine, barbu, les dents de devant toutes noircies. Elles coupaient net tout sourire en échange.

– Appelez-moi Georges. Je suis le responsable de… Vous verrez. Il était temps que vous arriviez.

A qui le disait-il ? Sarah ne parvenait plus à soulever sa valise. Jacques, qui n'avait rien dit de tout le voyage, s'est réveillé.

– Et le vrai départ, c'est quand ?

Georges l'a regardé froidement.

– Quand je donnerai l'ordre.

La vieille Juva a cahoté plus d'une heure sur les caillasses pour parcourir vingt kilomètres. Le paysage était beau, le Lubéron dégagé. Trois coups de klaxon et un arrêt brutal à l'entrée d'un immense mas, semblant à l'abandon.

Un home d'adultes en échange d'un home d'enfants. Terrible image que celle de l'arrivée. Sous l'insupportable chaleur, par groupes de trois, quatre, dépenaillés, se sont traînés vers nous les rescapés, visages fermés, corps amaigris. Et leurs yeux ! Femmes et hommes d'âge mûr

interrogeant trois jeunots dont les rêves d'avenir radieux se heurtaient à une réalité que madame Berman ne devait même pas soupçonner.

Ils ont apostrophé Georges dans des langues inconnues quand soudain je me suis retourné. Que c'est beau, le yiddish, même incompréhensible, aboyé par un homme d'une trentaine d'années médusé par mon sourire et qui s'est tu, me regardant amicalement, fixement.

Georges s'est mis à hurler en retour, répondant comme il pouvait, dans toutes les langues qu'il connaissait. Le silence s'est fait. Georges nous a expliqué.

– Ils ont cru que vous veniez annoncer le départ. Ils n'en peuvent plus d'attendre, et pourtant c'est la seule chose qu'ils puissent faire. Et je suis tout seul dans cette porcherie à gueuler comme un kapo. Et vous, qu'est-ce que vous avez à rester plantés là ?

C'était bien à nous qu'il s'adressait. Notre arrivée, sans doute tant souhaitée, le libérait enfin. Sarah s'est mise de la partie, odieuse.

– Camarade, je t'interdis de parler comme ça. Excuse-toi immédiatement. Si tu crois que nous sommes venus ici pour t'entendre te lamenter ou brailler comme un veau ! L'Organisation peut très bien se passer de gens de ta sorte, incapables de se maîtriser. Et puis, fais-leur des excuses, à eux. Tes états d'âme ne les intéressent pas après ce qu'ils ont pu vivre. Je veux entendre tes excuses, même si je ne les comprends pas.

Georges a baissé les yeux dans un silence de cigales. Il a bredouillé.

– Excusez-moi… Je n'en pouvais plus.

Sarah ne l'a pas laissé poursuivre. Sarah furie devant une quinzaine de survivants dépassés.

– Ils s'en foutent que tu n'en puisses plus. Et regarde-les quand tu leur parles. Reprends.

L'invraisemblable. Georges a avalé sa salive avec peine. Il a repris à haute voix, quittant la rocaille des yeux.

– Je me suis conduit comme un imbécile. Je vous aime, camarades. Je vous prie d'accepter mes excuses.

Le petit Georges sous la poigne de Sarah.

Georges, le responsable à nouveau responsable, tandis que les rescapés s'éparpillaient et que l'homme yiddish est venu me tendre la main avec vigueur avant de repartir d'un pas traînant.

– Pardonnez-moi, mais ça fait deux mois que je n'ai pu parler à personne de ce qui se passait vraiment. Pas tant le matériel que ce que je supporte à longueur de journée. Vous comprendrez bientôt. J'ai eu tort, je le sais. Ça ne se reproduira plus.

J'ai regardé Georges avec sympathie. J'ai haussé les épaules pour lui dire que je comprenais. Sarah semblait inaccessible.

Elle a sèchement demandé qu'il nous conduise à nos chambres.

Georges a éclaté de rire.

– Veuillez me suivre, mademoiselle.

Il a empoigné la valise de Sarah. Il s'est dirigé vers une bâtisse en ruine.

J'imagine ce qu'a pu être la réaction de Sarah en y pénétrant. Sans doute la même que la mienne ou celle de Jacques en entrant dans l'autre corps de ferme, réservé aux hommes.

Vingt lits de camp alignés dans ce qui avait été l'étable. Deux trouées de lumière dans l'épaisseur des murs de pierre. Ce n'était pas « la porcherie » dont Georges s'était plaint. Une porcherie, ça se nettoie. Ce n'était rien. Rien qu'une immense salle d'attente au sol de terre battue. Des hommes endormis, d'autres assis ne tournant même pas la tête à notre arrivée. Nos valises neuves à la main, Jacques et moi ressemblions à deux nababs entrant dans un palace pour se retrouver dans la cour des Miracles. Un *Shalom* s'est fait entendre quelque part.

– *Shalom*, en réponse.

Deux lits de camp inoccupés. Les derniers. J'ai choisi le mien, contre le mur d'entrée. Jacques s'est contenté de ce qui restait. J'ai fourré ma valise sous mon lit. Jacques m'a imité. J'ai haï Jacques. Sa mollesse. Son suivisme. Son incapacité de révolte, de choix. Bon gros toutou qui me suivait sans rien manifester. J'aurais aimé lire dans son regard une marque de dégoût, de rebuffade devant ce qui nous était proposé. J'aurais aimé l'entendre hurler comme moi, de l'intérieur, qu'il était dans la merde, qu'il ne savait pas quoi faire et qu'il souhaitait décaniller dans la seconde ou se précipiter vers ces hommes pour leur donner quelque chose. Non. Jacques calquait ses gestes sur les miens et décalquait ses idées dans ses livres.

J'ai quitté la salle. Il m'a suivi. J'ai gueulé.

– Mais tu ne peux pas me laisser trente secondes ! Faut que tu me colles aux fesses ? Reste là. J'ai besoin de marcher.

Il est resté sur le seuil, peut-être les larmes au yeux. Rien à foutre.

Lumière éclaboussante du soleil. J'ai porté la main à mes yeux. J'avais soif. J'avais faim. J'avais envie de mordre. Je me suis retrouvé dans la cour. Une femme tirait l'eau du puits. Elle m'a souri. Elle a fait mine de me tendre le seau. Je me suis précipité vers elle. Je me suis aspergé d'eau glacée, merveilleuse, et j'ai bu, bu, bu.

La femme a repris son seau. Dans un français bafouillis, elle m'a fait comprendre qu'elle était roumaine et que c'était le Lubéron que je voyais au loin. Quant au numéro qu'elle portait au bras gauche, les Nazis le lui avaient tatoué à Auschwitz. Elle a levé les yeux au ciel et murmuré je ne sais quoi qui s'achevait par Eretz-Israël.

Je l'ai quittée en courant. J'ai gravi le raidillon qui partait du mas, me tordant les chevilles sur la caillasse, m'éraflant aux piquants des broussailles. J'ai couru, couru parmi les oliviers, les éboulis de terrasses en friche. Exténué, je me suis effondré en haut de la colline dans l'herbe jaune de la Provence, à l'ombre d'un pin isolé.

Une fois, toujours, la solitude me sauvait, bolée d'air avant d'affronter les autres à nouveau. Elle me permettait tous les excès, toute la sauvagerie contenue. Fuir. Fuir. A cet instant plus rien n'existait du passé même le plus proche. Ni Sarah, ni Jacques, ni Georges, ni les rescapés. Ne restait que le sentiment d'être, d'avoir une nouvelle fois échappé à un désastre. Lequel ? Impossible à dire. *J'étais* : mon unique certitude.

J'ai regardé face à moi le Lubéron et sa longue crête émoussée. L'argent des oliviers. Les champs de lavande. Plus loin, sur la droite, les entailles des Alpilles. C'était beau. J'avais la chair de poule, les larmes aux yeux. J'aurais aimé partager ce que je voyais. Et c'est apaisé que j'ai pu redescendre vers le mas.

Il était convenu avec Sarah de tout cacher de nous. Quand je l'ai revue, j'ai souffert de ne pas la toucher. J'étais redevenu « camarade », comme les autres.

Jacques ne m'a pas tenu rigueur de ma violence. Du moment qu'on allait vers un monde où personne n'exploitait personne…

Le soleil s'est couché sur les monts du Vaucluse tandis que nous dînions dehors, dans la cour, sur des tables à tréteaux, éclairées à la bougie. La braise rougeoyait près d'un mur et toutes les langues d'Europe centrale s'entraînaient au français, martyrisé. J'ai appris à connaître Nathan, Baruck, Frida, qui s'essayaient à me parler. Sarah, seule, avait l'air dépité.

– Mais qu'ils parlent hébreu, bon sang ! Qu'ils apprennent. C'est la langue qu'ils parleront tous demain, s'est-elle confiée à Georges.

Pourquoi tant de hargne ?

Georges, qui avait pris la mesure de Sarah, s'est adressé à elle en hébreu. Sarah lui a fait répéter. Elle ne comprenait pas bien. Et lorsqu'elle s'est mise à vouloir répondre, j'ai pouffé. Elle m'a foudroyé.

Georges nous a ordonné de le suivre dans sa borie-quartier général. Lit au carré. Lampe-tempête. Un costume de ville accroché à un cintre. Quelques livres en hébreu empilés.

– Maintenant, les enfants, vous allez m'écouter. Et finis les caprices de petite fille.

J'étais content qu'il engueule Sarah à ma place. Son âme de commandant en chef m'exaspérait, me peinait surtout. Je lui demandais simplement quelques gestes d'attention. Pas grand-chose. Un regard, une caresse furtive. Mais ça devait être « petit-bourgeois ». Jacques avait dû lui faire la leçon.

Georges faisait le point.

– Sarah, comprends donc que ces gens ont choisi la

France. Ils y sont venus de leur plein gré. Pour eux c'est toujours une terre d'accueil et de liberté. A leur sortie des camps, ils se sont inventé des oncles, des tantes, des cousins de France, n'importe quel mensonge pour se retrouver au pays des droits de l'homme. Les Américains ont bien voulu les croire. Ils avaient d'autres chats à fouetter. Alors le français, c'est sacré pour eux. Et moimême, je suis obligé de l'admettre. Ils auront bien le temps d'apprendre l'hébreu en Eretz…

Sarah allait dire « mais ». Elle s'est ravisée. Le regard de Georges interdisait toute réplique.

– Et puis sachez tous que la priorité des priorités c'est de les aider à patienter. Ils viennent de tous les pays, ils sont de toutes les classes sociales et ça ne va pas sans heurts. Après ce qu'ils viennent de vivre et dont vous n'avez guère conscience, ils ont les nerfs à fleur de peau. Tout ça, vous l'apprendrez. Nous devons être prêts à partir d'une minute à l'autre. Mais la minute peut se transformer en mois. Et je n'ai toujours pas commencé à leur fabriquer de faux papiers.

– Facile !

Georges a tourné la tête, m'interrogeant.

– Au maquis, j'ai vu faire.

– Alors tu te débrouilles comme tu veux. J'ai juste la provision de cartes…

J'étais fier de cette première véritable mission. Jacques m'aiderait. Sarah faisait la gueule.

En quittant la borie, dans le noir, j'ai voulu lui prendre la main. Elle s'est dégagée avec vivacité. Cette nuit-là, j'ai pleuré.

Les jours d'attente ont succédé aux jours d'attente. Sarah n'a pas demandé pardon. Elle m'évitait. Tant pis pour elle. J'avais à faire. Je la sentais jalouse de mes conversations avec Georges. Qu'elle souffre autant que je souffrais et même davantage, je ne plierai pas.

Un matin, entouré d'une dizaine d'élèves studieux, j'ai fait comme d'habitude répéter les quelques mots de français que je croyais indispensables. « Merci. S'il vous plaît. Je m'appelle… J'ai faim. J'ai soif. Je suis malade. De l'eau. Du pain. » J'inventais à mesure. Puis ils m'ont vu les quitter sans comprendre. J'ai couru vers Georges.

– Pour les papiers, j'ai trouvé. Mais il faut que j'aille en ville.

– Tu viendras avec moi faire les courses.

Nous voilà dans la Juva.

Georges s'inquiétait du blocus anglais.

– C'est vraiment des salauds. Ils laissent entrer les Juifs au compte-gouttes dans leur putain de Palestine. Ils obligent des milliers et des milliers de réfugiés à attendre dans des camps de transit, partout en Europe. Tu ne peux pas savoir la chance que tu as d'être parmi les premiers à partir. En bateau, juste la Méditerranée à traverser et ils n'y pourront rien de rien. Et quand ils verront des flottes entières se diriger vers Haïfa, ils seront bien obligés de céder.

– Dis-moi, Georges, où est-ce que tu as appris l'hébreu ?

– T'as fait la Résistance, David ?

– Oui.

– Alors ne me pose pas de questions sur moi. Si la guerre est finie ici, là-bas elle continue. Et tant qu'elle durera, je ne te dirai jamais rien.

Il avait raison. J'ai donc posé d'autres questions.

– Et les rescapés des camps ?

– Ceux qui sont ici sont tous volontaires. La plupart ont appartenu à des mouvements de jeunesse sionistes. Ils ont la foi, David. Et même derrière ce qu'ils cachent brille encore l'étincelle de la vie.

Je n'ai pas eu à demander ce qu'ils cachaient. Georges a compris. Et, chaque jour, j'ai appris. Horrible vérité qui me nouait l'estomac. Horribles récits qui me rapprochaient de ces hommes, de ces femmes. Mes parents n'avaient pas eu à supporter ce martyre qui pouvait se dire avec des mots banals et qui était pourtant intransmissible. Il aurait fallu inventer une langue nouvelle qui mêle les faits et les souffrances.

Il n'y avait pas de mots pour cette souffrance-là.

La Juva allait comme elle pouvait. J'ai appris l'existence de la « sélection ».

– La plupart du temps en hiver, à n'importe quelle heure. Un officier passait dans les baraques. Il désignait celui-là, celui-là, celui-là. Quelques jours après, ils « allaient au gaz ». Fini.

D'une main, j'ai serré brutalement la cuisse de Georges. Je venais de comprendre. Cette voix glacée. Ces quelques mots sans émotion. Georges avait connu les camps. Il a poursuivi. Les poux, les rats, la dysenterie et le rougeoiement des crématoires. Les malheureux qui se précipitaient sur les fils de fer barbelés. Une rafale pour tuer des morts.

La Juva entrait dans le bourg.

– Je te laisse, David. Je te retrouve à midi au Grand Café.

Je suis descendu, essuyant mes larmes. Je les ai effacées à l'eau de la fontaine, sur la grand-place devant l'église.

Ce que Georges m'avait avoué sans le vouloir me redonnait du courage. Je l'aiderais. Je les aiderais tous, sans exception. Ils n'avaient pas besoin de charité. Ils avaient besoin qu'on leur donne.

Je n'ai pas mis bien longtemps à trouver la mairie, vieille bâtisse carrée et noire où flottait le drapeau tricolore.

J'ai poussé la porte. Une bouffée de fraîcheur. Et de culot. Une autre porte encore dans le hall. Le bureau du maire. Une pièce quelconque. Un bureau. Un fauteuil. Quelques chaises. Et ce que j'étais venu chercher. En un tournemain le tampon Liberté-Égalité-Fraternité et l'encreur dans ma poche. Restait à sortir, mine de rien.

Un bruit de pas m'a fait sursauter. La porte était restée ouverte. Un homme me barrait le chemin.

– Mais d'où tu sors, toi ? Qu'est-ce que tu fais là ?

Il avait l'air aussi surpris que moi. Sa voix chantante ne me menaçait pas. Il s'étonnait simplement de ma présence. Il fallait répondre.

– Je venais demander où je pourrais trouver l'instituteur.

– L'instituteur ?

– Oui. Quel mal à ça ? J'en ai besoin. En général, il est secrétaire de mairie, alors…

J'ai pris son rire pour de l'incrédulité.

– Ben mon garçon, tu tombes à pic. L'instituteur, c'est moi. Qu'est-ce que je peux faire pour toi ?

Vite. Vite. Inventer.

– Me prêter des livres. Tout un tas de livres. Le plus que vous pourrez.

J'avais piqué sa curiosité.

– Attends, attends, je ne comprends rien. C'est pour manger ou pour dévorer ?

C'était bien un instituteur. Mais je n'avais plus dix ans.

Un instant, je l'ai regretté. Ce temps des moqueries sans méchanceté qui faisaient rire toute une classe.

– Viens, mon garçon. On va reprendre depuis le début.

Il m'a fait sortir du bureau. Il a refermé la porte.

J'étais installé dans sa salle à manger, dans un fauteuil, racontant simplement mes faits de guerre et d'après-guerre, la mort de mes parents, mon arrivée toute fraîche au mas, sur la colline.

– Alors les livres, c'est pour eux.

A mesure que je parlais, l'instituteur passait d'une fesse sur l'autre, son regard se détournait du mien. Il avait bien tenté au début de me tendre quelques pièges sur la Résistance à G., qu'il semblait bien connaître. En quelques minutes, sans le vouloir, en ne disant *que* la vérité, j'avais tué tout soupçon. Ses yeux disaient que je redevenais le « pauvre gosse » à protéger, à secourir. Au récit de l'attente du retour des déportés, il était prêt à fondre en larmes.

– Écoute, David, ce que tu me racontes est pire que tout ce que j'ai pu entendre ou lire dans les journaux. Qu'est-ce que je peux faire pour vous ? Dans le village on parle de « vous autres », là-bas, dans votre mas, on voudrait vous aider mais on n'ose pas. On a peur, David, on a peur qu'ils le prennent mal. On a peut-être peur aussi de savoir *vraiment*.

Il s'est levé, n'en pouvant plus. Dans le silence, il s'est mis à marcher autour de la table, les mains derrière le dos, comme un instituteur. Puis l'interrogation qui bouillonnait.

– Et eux, comment ils vivent ça ? Est-ce qu'ils nous en veulent ?

Brave monsieur Meffre. S'il savait que les rescapés étaient déjà dans un monde meilleur, que son coin de Provence leur importait aussi peu qu'une piqûre de moustique ! Je l'ai rassuré. *Ils* n'en voulaient à personne. Quelques-uns en voulaient à Dieu, c'est tout. Pour le reste, c'étaient des hommes et des femmes comme les autres qui avaient besoin de revenir lentement à la vie.

– Mais qu'est-ce que je peux faire pour eux ? Avec les camarades on pourrait monter…

– Non, ce n'est pas la peine. Pas pour le moment en tout cas. En revanche, si vous aviez un appareil photo et de la pellicule, je ferais des photos. Peut-être que vous comprendrez mieux. Et eux seraient contents. Je leur dirai que c'est de votre part.

Il s'est précipité vers une chambre. Il est revenu porteur d'un précieux Rollei qu'il m'a tendu.

Mon sourire l'a satisfait.

– Il faut que j'y aille, monsieur. J'ai rendez-vous à midi.

Il voulait me garder encore.

– Reviens demain, David, on parlera. De tes études, des livres… J'ai oublié les livres.

– Ce n'est rien, ce n'est rien. Demain…

Il m'a agrippé par l'épaule.

– Attends. J'ai oublié le plus important.

Et c'est avec un matériel complet de développement photo que j'ai traversé la cour de l'école.

Je savais monsieur Meffre à sa fenêtre, regardant partir le « pauvre gosse » à qui il avait proposé de rester déjeuner, d'attendre le retour de madame Meffre, de…

Je n'ai entendu que « à demain, n'oublie pas surtout. Viens directement à la maison. Tu es chez toi. »

J'ai filé.

J'ai vu Georges sortir de la poste. Je l'ai suivi dans les petites rues noires aux volets fermés jusqu'au Grand Café. Je l'ai laissé faire les cent pas, m'attendre, regarder sa montre. Je me suis approché, les bras chargés d'un gros paquet. Georges n'a rien demandé. Il a dit :

– Midi, c'est midi. Pas midi une ! Que je n'aie pas à te le répéter. On rentre.

La Juva était à l'ombre. Sur la banquette arrière : des cageots de fruits, des œufs, des poules…

– Pose ton paquet, David.

Il a mis le contact.

– Non, je le garde avec moi.

La Juva a laissé le bourg derrière elle. Je n'ai pas desserré les dents. Georges craquerait bien avant moi. Il louchait sur le paquet, même dans les virages en épingle à cheveux.

– D'accord, tu as gagné, a-t-il admis le long d'une vigne à l'abandon.

Il a freiné pour se garer près d'un platane. J'ai pris le paquet. Je l'ai déposé à l'arrière.

Georges n'a plus rien compris.

J'ai mis mes mains dans mes poches. J'en ai sorti l'encreur et le tampon.

Georges a sifflé, stupéfait.

– Bien joué, David. Tu en as d'autres comme ça ?

Le paquet l'intriguait toujours. Je voulais faire durer le plaisir. Mais j'étais si fier de moi que je n'ai pas su résister.

Georges m'a attrapé le visage à deux mains. Il m'a embrassé.

Un long silence de bonheur sur le bord de la route déserte.

Georges a voulu en savoir davantage en montant vers le mas. Pris à son propre piège.

– Tu sais ce que c'est que la Résistance ?

– Oui.

– Alors ne me demande plus jamais rien.

J'ai aimé son rire.

– Tu iras loin, David. Demain je m'occuperai du révélateur, du fixateur et du reste chez le droguiste.

Il s'est tourné vers moi, sérieux.

– Tu sais…

Je n'ai jamais su. Il a laissé sa phrase en suspens. J'ai seulement la certitude qu'il a décapité une confidence, qu'il s'est réfugié dans la clandestinité de ses sentiments. J'ai espéré si fort qu'il me dise à cet instant que j'aurais pu être son fils, ou je ne sais quoi encore d'aussi important. Mais qu'importe qu'il l'ait dit ou non. Lui et moi le savions. Au même instant nous avons détourné le regard. J'ai eu du mal à avaler ma salive.

Au mas, Sarah s'était réfugiée à l'ombre, dans la cour, toute seule, triste. Je me suis approché d'elle, semblant ne rien remarquer.

– Ça va ?

– Ça va.

Bien. Si ça allait, pas besoin de s'éterniser. Je suis parti aider aux préparatifs du repas. Deux femmes m'ont pris à témoin sur l'assaisonnement de la salade de tomates. Le quotidien…

La sieste, la lessive. Les petits travaux. Les discussions en hébreu auxquelles je ne comprenais rien. Les discussions en yiddish que je ne comprenais pas davantage, tout aussi animées, mais dont un mot échappé me faisait frissonner. Mon monde perdu. Celui de mes parents lorsqu'ils avaient décidé que je ne devais pas comprendre. Les longs, les immenses silences des joueurs d'échecs que rien n'arrachait à leurs fous, cavaliers ou pions qu'ils mettaient des heures à déplacer. Et puis les livres.

Comme convenu, je m'étais présenté chez monsieur Meffre, assez peu fier de mon vol et de mes mensonges. J'aurais aimé pouvoir tout avouer. J'étais certain qu'il aurait compris, pardonné, qu'il m'aurait même aidé davantage. Mais j'étais tenu au secret. Lui m'attendait. Il avait préparé des boissons fraîches et toute une foule de questions auxquelles j'ai répondu avec le peu que je savais. D'où venaient ces gens ? Qu'avaient-ils subi ? Qu'allaient-ils faire maintenant, la guerre achevée ? Monsieur Meffre glissait ses questions comme s'il en avait honte, coupable de découvrir l'immensité d'un désastre qu'en réalité je découvrais avec lui. Il m'aidait sans le savoir. Ses interrogations, c'étaient les miennes. Je lui ai raconté l'histoire de Mikaël, survivant du ghetto de Varsovie. J'ai retracé pour lui le calvaire de Rebecca, les deux mille kilomètres qu'elle avait parcourus de camp en camp lors de l'avancée des Russes quand les Nazis poussaient devant eux, en se repliant, leur débandade de squelettes vivants. Je ne faisais que répéter ce que Georges venait tout juste de m'apprendre. Et c'est en racontant que je prenais la mesure de l'ignominie humaine.

– Tout ira mieux, désormais, disait monsieur Meffre pour me rassurer, pour se rassurer, d'une voix à peine audible.

Une gorgée d'eau pour laver toutes ces souillures de l'Histoire qu'il prenait en plein plexus, K.-O. debout. Chaque petite histoire ajoutée à une autre petite histoire rendait nos rencontres intolérables et pourtant nécessaires. Parler, parler, parler pour se vider d'un trop plein d'horreur. Quand le silence s'abattait, mon grand gaillard d'instituteur moustachu aurait aimé se blottir dans mes bras pour que je le console d'un cauchemar. Je le voyais les yeux dans le vague, respiration coupée. Il se levait brutalement, quittait la salle à manger sous un quelconque prétexte. Au retour, ses yeux avaient rougi.

– Et toi, David, qu'est-ce que tu comptes faire ?

Il me poussait au mensonge.

– Je ne sais pas. Je vais les aider. Ensuite, je verrai. Peut-être que je reprendrai mes études.

– Et tu as lu, ces derniers temps ?

J'ai parlé d'Apollinaire, de Rimbaud et du *Comte de Monte-Cristo*.

Monsieur Meffre était content. Il allait pouvoir m'aider. Il m'apprendrait.

– Suis-moi. Je t'ai préparé un paquet d'une dizaine de vieux livres de lecture pour les autres. Mais pour toi…

Je me suis retrouvé devant les rayonnages de son bureau, là où il corrigeait sans doute les accords de participes.

– Prends ce que tu veux, David, c'est à toi.

Il m'aurait tout donné. J'étais désemparé.

– Tu veux que je choisisse pour toi ?

J'ai hoché la tête.

– Tiens, *Germinal.* Tu verras que les hommes unis peuvent faire de grandes choses. Et Stendhal ! Tu as lu Stendhal ? Voilà *Le Rouge et le Noir*, la plus belle histoire d'amour que je connaisse.

Il a ri.

– C'est important, l'amour.

J'ai rougi. Il a posé sa main sur mon épaule. J'ai balbutié.

– Je vous les rapporterai.

– Il n'en est pas question. C'est pour toi, rien que pour toi. Donner un livre c'est donner aux autres ce qu'on aime, c'est leur faire partager, c'est…

Il ne trouvait plus ses mots d'instituteur. Il a trouvé chaque livre rangé à sa place. Les *Essais* de Montaigne, les *Fables* de La Fontaine, *Le Gargantua*, *Quatre-Vingt-Treize*, *Les Cloches de Bâle*.

– Et puis celui-ci.

Je l'ai vu le prendre, le caresser, vouloir le reposer puis me le tendre comme ce qu'il avait de plus précieux.

– *Le Silence de la mer* de Vercors. Un livre écrit pendant la guerre. Les livres, ça peut aussi servir à changer le monde, un tout petit peu, à résister… Tu sais qu'on a brûlé des écrivains pour leurs écrits ?

– Oui. Mais je sais surtout que Hitler, en arrivant au pouvoir, a fait brûler tous les livres des écrivains juifs et des opposants. Un jour, je les lirai.

Monsieur Meffre a tout empaqueté avec un soin méticuleux.

Je me suis jeté à son cou sans lui laisser le temps de réagir. Je l'ai embrassé. Je me suis enfui.

Monsieur Meffre m'a remercié quelques jours plus tard lorsque je suis revenu lui apporter l'attirail photographique que je lui avais soutiré le premier jour.

– C'est toi qui as fait ça ?

– Oui.

Il avait enfin sous les yeux « ceux de là-bas », photo de groupe agrandie avec survivants au sourire triste.

Il les a regardés, longtemps, un à un.

– C'est pour vous, monsieur Meffre. Je vous la laisse.

Il l'a rangée dans son bureau.

Monsieur Meffre n'a jamais su que les sourires tristes n'étaient venus qu'en fin de partie, après l'ahurissante rigolade de la séance de pose des photos d'identité.

Ceux que monsieur Meffre imaginait morfondus sur leur sort s'en étaient donné à cœur joie.

Georges avait fait passer la consigne « de se faire beau ».

Toute la journée, les hommes s'étaient rasés, taillé la barbe, frisé les moustaches, coupé les rouflaquettes. Nathan s'était improvisé coiffeur, lui l'ingénieur chimiste. Chacun attendait que sa main tremble. Elle a beaucoup tremblé. Tous de se désigner du doigt, d'exhiber des tonsures, des trous et de s'asperger d'eau, à grands seaux, de se passer le miroir. Moquerie sur moquerie. Et les rires de recommencer. Seul Georges possédait une chemise blanche et une précieuse cravate. Mais les tours de cou ne correspondaient pas nécessairement. Les uns s'étranglaient, d'autres nageaient. L'hôpital se moquait ouvertement de la charité. Une engueulade soudain. Le nœud de cravate : simple ou triangulaire ? Des gestes retrouvés. Et la chemise de

Georges qui se trempait de sueur. Les femmes se montraient plus discrètes, arrangeant avec des épingles des chignons écroulés. Sarah a fait les frais de leur coquetterie renaissante. Par le geste et la parole, Léa lui faisait comprendre qu'elle n'était qu'une imbécile de n'avoir pas apporté rouge à lèvres et poudre. Sarah a fondu en larmes. Léa ne décolérait pas. Il a fallu la calmer.

Puis le sérieux de la pose : ces quelques secondes devant moi, qui leur rendaient une première identité respectable.

Et la crise de nerfs d'Olga, inattendue, s'asseyant sur la chaise, baissant les yeux et découvrant, tout à coup, toutes ces mèches de cheveux sur le sol. Elle a aussitôt porté les mains sur son crâne, hurlant en s'enfuyant.

Georges, à mes côtés, a posé sa main sur mon épaule.

– Au camp, une des premières saloperies des Nazis, c'était de les tondre.

La photo de groupe, offerte à monsieur Meffre, a été prise après qu'Olga fut revenue à la raison. Une photo aux sourires tristes. Olga avait tué les rires.

Monsieur Meffre n'a jamais su mon travail de fourmi, la nuit, pour rendre à chacun une identité provisoire. La cuisine transformée en labo photo, et la calligraphie de Jacques pour affubler chacun d'un nom, prénom, date de naissance. Georges allait chercher un à un les prétendants à la nationalité française et à force de palabres on parvenait à des compromis acceptables. Yantel devenait Jules mais Joseph restait Joseph. Quant aux professions... Tout était faux et pourtant vrai. Le tampon était officiel ainsi que le cachet de validité. Un peu de cendre de cigarette pour patiner le papier tout aussi officiel, quelques taches pour plus d'authenticité. Et chacun de repartir avec une identité véritablement mensongère. Mais quel éclat dans les yeux de ces hommes, de ces femmes !

– Et les livres, David ?
– Formidables, monsieur Meffre.

L'instituteur était ravi. Autant lui mentir. *Le Rouge et le Noir* sur lequel je m'étais jeté, me rendait Sarah détestable. Si j'étais Julien Sorel, elle n'était ni madame de Rênal ni Mathilde de La Mole. Elle ignorait la passion. Se serait-elle sacrifiée pour moi ?

J'ai tenté une réconciliation. Je lui ai tendu le livre.

– Tu devrais lire ça, Sarah.

Elle m'a regardé avec mépris.

– Des livres français ! De la littérature. Tu crois peut-être que ça peut servir à la cause ?

Merde pour la cause, merde pour Sarah-perroquet. Les livres m'étaient précieux. Ils m'arrachaient des heures durant au monde des rescapés. Ils me disaient des bonheurs. Tant pis s'ils me faisaient aussi souffrir.

Je me suis mis à détester Sarah, vraiment. Elle était minable, cœur sec, incapable de donner.

Et je suis retourné à mes livres, passionnément.

A l'heure du départ, j'ai voulu remercier monsieur Meffre, lui dire adieu. C'était impossible. Un camion nous attendait sur la route. Une heure pour rassembler dix kilos de bagages. J'ai commencé par les livres. Ils ne me quitteraient jamais.

Monsieur Meffre ne saurait jamais que c'est à lui que j'ai pensé aussitôt après que Georges, le visage sévère, a rassemblé tout le mas. Je n'ai pas fixé sur pellicule l'expression de chacun à l'annonce tant attendue. Elle nous laissait tous incrédules. Les directives de Georges, répercutées en toutes les langues, avaient un semblant d'irréalité. Cinq longues minutes d'égarement. Le premier cri de joie. Les premières embrassades. L'empressement soudain sans aucune excitation visible.

Dix kilos de bagages. Mes livres d'abord. La photo de mes parents. Le reste… Pour mes camarades, partir les mains nues ne les aurait guère chagrinés. Ils avaient tant de fois dû tout abandonner. Mais puisqu'il fallait choisir, autant s'accrocher au plus précieux. Des riens : un foulard ramassé à la sortie du camp, un pantalon donné par je ne sais qui, je ne sais où. Les objets sans importance devenaient trésors. Un morceau de miroir ébréché, un poste à galène construit dans une boîte d'allumettes, un crayon noir…

Les plus riches d'entre les pauvres possédaient une valise, offerte sans doute par une œuvre de charité. Les autres n'avaient qu'une couverture, un drap, pour protéger leur fortune.

Le reste devait être brûlé. Dans la cour, à la nuit tombante, par petits brasiers, a disparu en cendres ce qui était encore moins que les riens emportés.

J'ai plié mon lit de camp. J'ai aidé à éteindre les foyers allumés. Georges n'avait plus qu'à inspecter un désert.

Sur le chemin caillouteux que l'orage de la veille avait raviné, quarante fuyards à la queue leu leu se tordaient les chevilles pour rejoindre la route. J'ai regardé la

Grande Ourse. Je me suis raccroché à la femme qui me précédait.

Le camion attendait, phares éteints. Le chauffeur a consulté sa montre. Il a fait signe du pouce. Nous sommes montés un à un. J'ai croisé le regard de Jacques qui s'asseyait sur un banc. A-t-il compris mon sourire ? De ce camion bâché qui roulait dans la nuit, nul n'aurait songé à sauter en marche.

Où allions-nous ? Personne n'a posé la question. Pas un mot de tout le voyage. Le ronron capricieux du moteur. Des villages traversés à petite allure, abandonnés dans notre sillage. J'aurais aimé dire au revoir à monsieur Meffre. Ce n'était plus le temps des regrets, c'était le silence de l'espoir.

Sans que je m'y attende, une main s'est posée sur la mienne. Celle de Sarah, assise face à moi. J'ai deviné seulement le contour de son visage. J'ai pressé sa main. Je lui pardonnais. Je savais qu'elle pleurait. Elle était la seule à laisser derrière elle une famille entière, vivante, qui l'attendait, qui la recherchait. Qui s'intéressait aux trente-neuf autres ?

La route n'en finissait pas. Pas une plainte. De temps en temps, un raclement de gorge, une quinte de toux. Ce n'était plus la route mais une piste de sable que nous devions suivre. Plus un seul cahot et toujours les hoquets du moteur. J'ai cru qu'il rendait l'âme. Le camion s'est arrêté.

Les yeux se cherchaient dans le noir. Georges est descendu. Georges est revenu. Ordre de descendre avec valises et baluchons.

Un peu plus loin sur la piste, un autre camion bâché attendait. Longue, longue attente, serrés les uns contre les autres, sans jamais rien demander. Les ordres étaient les ordres.

J'ai imaginé la joyeuse pagaille qu'une situation semblable aurait créée dans mon maquis, à G. Chacun aurait donné son avis. Un grand coup de gueule nous aurait fait taire, le temps d'un coup de gueule. Georges, en trois chuchotements, m'avait appris la clandestinité. Et personne n'a demandé pourquoi Georges n'était plus avec nous dans le second camion. Au moment d'y grimper, il nous avait distribué à chacun un bout de carton numéroté. Il m'a serré la main à l'écraser. Il a disparu. Dans le silence de l'aube naissante, j'ai compris qu'il venait de me dire adieu. Une simple poignée de main.

A quelle heure sommes-nous repartis ? Combien de temps avons-nous roulé pour retrouver une route, une ville, le port, les docks ? Une odeur de cambouis, de poissons morts trahissait le lieu. Le camion avançait à allure d'escargot quand une voix inconnue yiddish-hébreu-français a murmuré sèchement :

– Aussitôt arrivés, vous descendez et vous montez à bord. Gardez vos numéros à la main.

Je me suis retrouvé sur une planche montant sur le pont d'un bateau prêt à larguer les amarres. J'ai tendu mon carton à un marin barbu. Je me suis retrouvé dans la cale. Les moteurs chauffaient. En m'installant, j'ai senti le bateau s'éloigner lentement du quai. Un homme s'est accroché à mon bras.

– Que Dieu nous aide !

J'ai souri, mais j'ai posé ma main sur la sienne. J'ai frissonné. Une main décharnée. Je l'ai serrée longtemps.

Le hasard, la vie, m'avaient collé à fond de cale sur une couchette exiguë où il m'était impossible de m'asseoir sans me cogner la tête. Moi. Moi et huit cents autres, entassés dans un enfer flottant, alors que des centaines de milliers de candidats au départ étaient parqués dans des camps de regroupement en Autriche, en Allemagne, en Italie. Ils auraient tout donné pour être à ma place, dans la puanteur des premiers vomissements. Pour rien au monde je n'aurais échangé ma parcelle de planche sur ce rafiot rafistolé qui partait forcer le blocus anglais. J'ai poussé ma valise. Je me suis endormi.

Au réveil du premier jour, je n'ai pas réalisé immédiatement où je me trouvais, quelle était cette cave nauséabonde aux deux chiches ampoules, cet alignement de corps étendus face à moi, cette chaleur intolérable, cette sensation de vertige quand j'ai voulu appuyer la tête sur mon coude.

Un marin marchait tranquillement entre les deux travées de châlits. Il distribuait la nourriture du jour, de tous les jours. Un biscuit dur à se luxer la mâchoire. Il hurlait pour se faire entendre. Il répétait tous les cinq mètres :

– Interdiction de monter sur le pont, sauf pour les toilettes. Interdiction de se laver. Vous avez bien entendu : l'eau est rationnée. Un litre par personne et par jour.

Personne n'a protesté. Mon voisin m'a bien fait comprendre que mon marin était un homme de la *Haganah*, l'armée de libération, et qu'il fallait obéir.

– Merci.

Il n'a pas senti mon ironie stupide. Mais c'est tout heureux que je l'ai entendu parler français. Mon sourire de

bonheur. Plus besoin de yiddish approximatif, de grogne-
ments. J'ai dit « Merde alors, qu'est-ce que tu fous là ? »

Il a éclaté de rire.

– La même chose que toi.

Et nous avons chahuté, nous bourrant de coups de
poing chaleureux.

Lui, c'était Michel, la trentaine, un compagnon de plus
que le hasard m'accordait. Un parmi tant d'autres que je
n'avais pas choisis. Amitiés intenses qui cassaient net. Et
tout à recommencer.

Depuis la rafle du Vel' d'Hiv, j'avais laissé des hommes,
des femmes, des enfants derrière moi comme des petits
cailloux. Michel remplaçait Jacques, perdu parmi huit
cents naufragés.

J'ai appris que nous avions appareillé à La Ciotat, que
mon groupe était le dernier arrivé, que les douaniers
avaient été achetés pour fermer les yeux sur l'embarque-
ment et que si j'avais vu le bateau et sa ligne de flottaison
j'aurais certainement hésité à grimper sur la passerelle.

Je n'ai plus écouté. La nausée m'a pris.

– Mange, m'a dit Michel.

Il n'avait pas commencé sa phrase que je me suis mis
au diapason de la moitié des passagers de la cale. J'ai
vomi, vomi sur du vomi dans une odeur de vomi. C'était
infect. Il fallait que je respire au grand air, à tout prix. Je
me suis levé. Michel a voulu me décourager.

– Ils ne te laisseront pas monter sur le pont.

– On verra bien.

En tanguant, j'ai atteint l'échelle. Je suppose que mon
marin barbu m'a baragouiné de regagner ma place. J'ai
posé le pied sur le premier barreau quand sa poigne m'a
jeté à terre. Il venait, sans le savoir, de trouver le remède

à mon mal de mer. J'atteindrais l'air libre quoi qu'il m'en coûte. J'ai ramassé une barre de fer qui n'aurait jamais dû traîner là et je l'ai assenée sur le bras du pauvre malabar qui s'est mis à hurler en hébreu tandis que je filais. L'obéissance n'a jamais été ma vertu. Il l'a appris à ses dépens. Tant pis pour lui. J'étais prêt à recommencer autant de fois qu'il le faudrait. D'accord pour la Terre promise mais pas au prix de cette puanteur, de ses souillures qui envahissaient le navire entier. Si les autres l'acceptaient, moi pas.

Le panneau de la cale était ouvert. J'ai vu le ciel bleu. J'ai aspiré une profonde gorgée d'air et de lumière en mettant pied sur le pont désert. Quelques hommes d'équipage allaient et venaient. Ils ont été aussi surpris que moi. J'ai regardé ce pont avant où deux canots de sauvetage étaient suspendus aux bossoirs. J'ai voulu m'approcher du bastingage quand la même poigne de déménageur m'a attrapé par le col.

Sans que je touche le sol un instant, j'ai traversé tout le rafiot et gravi l'échelle qui montait jusqu'à la dunette. Une porte rouillée a grincé. Le marin m'a balancé aux pieds de celui qui devait être le chef. Je n'ai rien compris à leur palabre. Mon malabar vociférait, l'homme en chemisette bleue aux yeux bleus est resté de marbre. Il m'a aidé à me relever. Un fort accent hébreu, chantant, mais un français impeccable pour me demander des comptes.

J'ai dit la puanteur, la nausée, mon nom, qu'il pouvait faire de moi ce qu'il voudrait mais que je ne descendrais plus dans la cale.

– Mais tous les autres ont accepté la discipline !

– Je ne suis pas les autres.

Il a souri.

108

– Qu'est-ce que tu me proposes ?

– Donnez-moi du travail, n'importe quoi. Je peux être utile. Je ne veux plus des vomissures.

L'homme bleu s'est gratté le menton.

– Écoute, David. Si le pont est interdit, c'est que nous risquons à tout instant d'être repérés par un avion anglais, et c'en est fini de nous. Mais tu peux être utile.

J'ai attendu la sentence.

– On a besoin de monde à la chaufferie.

L'embrasser aurait été incongru. Trois quarts d'heure plus tard, l'assassiner était hors de mes forces, même appuyer sur la détente d'un pistolet imaginaire.

C'est presque en sifflant que je suis descendu dans les soutes. Toutes les échelles étaient rouillées, la peinture écaillée. Le navire avait dû être acheté au marché aux puces. J'avais bien droit à quelques secondes d'ironie vengeresse après avoir eu si peur de l'homme bleu. Le bruit des machines s'amplifiait.

Quand j'ai pénétré dans la chaufferie, j'ai compris que l'enfer des vomissures n'était que le purgatoire. Ici j'étais vraiment en enfer. Le flamboiement des quatre fours. Les hommes à demi nus, gantés, qui asticotaient la braise. Le temps d'un regard, mes vêtements me collaient déjà à la peau, j'avais une pelle à la main et j'étalais le charbon sur les grilles. Une, deux, trois, dix pelletées et je suffoquais. L'eau versée à grands seaux sur le mâchefer qui tombait faisait jaillir une fumée aigre qui piquait les yeux, qui déchirait les poumons. Au vingtième coup de pelle, un homme d'équipage m'a retenu par les aisselles avant que je tombe. Il m'a porté sur son épaule, il m'a remonté sur le pont, me laissant à demi mort reprendre souffle, visage collé au plancher.

– Alors, David, tu veux toujours te rendre utile ?

J'ignorais d'où venait la question. Un effort fantastique pour lever la tête. L'homme bleu me regardait. Il m'avait humilié. Ses yeux disaient pourtant la gentillesse. J'ai pris ma voix rogue. Il en est sorti un filet de colère enrobé de toute la poussière, la suie que j'avais avalées.

– Oui, je veux toujours. Et jamais je ne retournerai dans la cale.

– C'est bon.

Je suis donc retourné dans la cale, me bouchant le nez. Michel, heureux de me revoir, m'a posé mille questions. Je n'ai pas répondu. J'ai pris ma valise. Je suis remonté.

En échange d'un nid bien à moi, sous un canot, dans un amas de ceintures de sauvetage, j'avais gagné le droit de balancer, deux heures par jour, les escarbilles de la chaufferie qui remontaient à bout de poulie dans une manche à air. Tant pis s'il était interdit de se laver. Tant pis si le vent me renvoyait une partie de ce que je jetais au visage. Merci l'homme en bleu. J'étais un peu de son équipage.

Je n'ai rien gagné d'autre. Pas une miette de biscuit de plus. Pas une goutte d'eau supplémentaire. Mais j'avais mes jours à moi, les étoiles dans la nuit, le va-et-vient des marins qui me faisaient un clin d'œil au passage, mes livres, et de longues heures de rien.

Parfois passaient un homme, une femme qui s'asseyaient sur les cordages malgré l'interdit et qui me disaient un peu de leur histoire. Elles s'achevaient toutes en Eretz-Israël. Elles commençaient toutes dans un camp, un ghetto, une cache. Je n'ai jamais vu couler une larme dix jours durant. J'ai entraperçu Sarah. J'ai voulu bondir. Elle avait disparu. On se reverrait bientôt.

L'espoir à quelques milles des côtes de la Palestine britannique quand, au dixième jour de mer, un grondement venu du ciel a rompu la fausse tranquillité d'une fin de voyage où le rationnement d'eau devenait insupportable.

En début d'après-midi, un avion de reconnaissance de la R.A.F. a survolé la nef du malheur. Pour la cinquième fois, Julien Sorel se jurait qu'à vingt heures sonnantes il prendrait la main de madame de Rênal. Il a dû renoncer à son projet. L'homme bleu, jumelles braquées vers le ciel, donnait des ordres au capitaine du bateau, gros barbu joufflu et tatoué. Il restait peut-être une petite chance de ne pas être arraisonnés. Mais deux heures plus tard un hélicoptère nous survolait, un sous-marin nous suivait et un destroyer faisait route à bâbord. Une armada pour huit cents pouilleux aux mains nues !

De ma cache, je voyais l'état-major de la Haganah discuter dans la cabine du commandant. Qu'allaient-ils faire ? Le temps de me retourner vers la mer d'huile, ils avaient disparu. La sirène hurlait. Quelques marins couraient sur le pont en criant « au feu ! au feu ! ». Comme Guillot criant « au loup » à l'école et que la peur nous figeait sur nos bancs avec une belle leçon de morale en prime. « Ne jamais mentir ». Calligraphié sur le cahier du jour.

En quelques minutes, ce fut la débandade. A qui sauverait sa peau le premier. J'ai vu des hommes piétiner des femmes pour sortir plus vite des panneaux donnant sur le pont. De toutes les cales montaient les séquestrés de dix jours, hirsutes, les vêtements salis de la paille humide sur laquelle ils avaient dormi. Hébétés, certains de mourir sur-le-champ, hurlant eux-mêmes « au feu », ils s'agglutinaient contre les bastingages, stupéfaits de découvrir ces navires qui nous escortaient. J'ai cherché Sarah. Je me suis précipité à contre-sens vers la cale. J'ai été repoussé, bousculé, piétiné. Je me suis relevé, tournant le dos à la meute apeurée. J'étais triste, conscient que j'aurais agi comme eux pour ne pas crever dans la cale. Toutes les leçons de morale, de dignité humaine, ne résistaient pas à la panique. L'homme était bien un loup pour l'homme. J'étais un loup. Une ordure, une crapule. J'avais la gorge sèche.

Le sourire m'est revenu. Les hommes de la Haganah avaient bien joué. A bâbord, la foule faisait rempart à la vedette britannique qui filait vers nous. A tribord, s'enfonçaient lentement dans la mer tous les papiers compromettants, déchirés en morceaux, et les hommes de la Haganah enfilaient des vêtements de gueux pour se fondre immédiatement parmi les autres.

Plus personne ne cherchait à éteindre un incendie imaginaire. Tous les regards fixaient les quelques soldats montés à bord, leurs mitraillettes, leurs matraques, leurs dagues. Ridicules. Que pouvaient-ils contre huit cents rescapés faméliques qui redécouvraient l'odeur de l'air, la couleur du ciel et qui s'embrassaient, certains d'être vivants, vivants, même aux mains des Anglais. C'est d'ailleurs eux qui les conduiraient jusqu'en Eretz-Israël. Parce que marins et capitaine s'étaient envolés.

Les volontaires n'ont pas manqué pour alimenter les machines. Quelques heures de route et le *Haganah Ship* accosterait.

Qui a hissé le drapeau bleu et blanc frappé de l'étoile de David ? Qui, le premier a entonné les premières mesures de la *Hatikvah* dès que la côte s'est profilée ? Un chant à faire pleurer qui montait du pont, lentement, puissamment.

Tant qu'au fond d'un cœur
Une âme juive pourra vibrer
Et que vers l'Orient
Nos yeux chercheront Sion
Alors notre espoir n'est pas mort…

J'ai chanté avec huit cents autres. J'avais la chair de poule. Une main a pris la mienne. Sarah m'avait retrouvé. Et j'ai chanté encore, encore, ivre, jusqu'à ce que le bateau accoste. Et le silence s'est fait.

Plus rien ne pouvait nous arriver. Les yeux de Sarah disaient combien je lui avais manqué. Je l'ai embrassée, délivré. Nous allions fouler ensemble la Terre promise, Haïfa la lumineuse qui s'étageait sur les pentes du mont Carmel.

Le comité d'accueil ne l'entendait pas ainsi. Aucun ami pour nous souhaiter la bienvenue. Des barbelés et des soldats sur les quais. Un officier, stick à la main, donnait des ordres.

Une simple planche. Nous sommes descendus un à un, sous la menace des matraques toutes prêtes. Juste devant moi, un vieil homme s'est agenouillé. Il a embrassé le goudron du quai, bloquant la descente. Un soldat s'est approché. Le vieil homme l'a regardé. Le soldat a reculé. Et la longue file a progressé dans un silence devenu triste. Sarah me suivait.

Huit cents prisonniers d'un coup. Mais quelle fierté en tirer ? Pas l'ombre d'un membre de la Haganah. Pas un seul marin capturé. Ne restait qu'un vieux rafiot bon pour la casse que les Anglais remorqueraient je ne sais où.

Pour seul réconfort, une orange et un petit pain, tendus par quelques femmes de la Croix-Rouge. Mais personne pour y goûter. Après quelques heures d'exaltation, la fatigue, le désespoir s'étaient abattus sur les passagers du forceur de blocus, parqués en bout de quai, assis, allongés, cherchant à comprendre au milieu de soldats, manches de chemise retroussées, que l'ennui guettait. Sarah s'est appuyée contre mon épaule.

– Tu as vu Jacques ?

– Non.

– Il ne doit pas être bien loin.

Je n'avais pas envie de parler.

Un religieux en redingote a fait diversion. Il m'a tendu une mesuzah[*].

Je l'ai regardé, ahuri.

– Tiens mon fils, le Seigneur sera toujours avec toi.

Il est parti. Sarah a haussé les épaules. J'ai passé la mesuzah autour de mon cou.

– Mais tu es fou !

– Aussi fou que tous ceux qui sont là.

Je n'ai plus desserré les dents. Il suffisait d'attendre. Les bruits les plus invraisemblables se sont mis à courir. Ils allaient nous renvoyer en Europe. Je me suis endormi, à bout de forces.

Je me suis réveillé tout aussi fatigué, quelques minutes plus tard. On entassait les naufragés dans des camions. Les Anglais, très polis, aidaient même les personnes âgées et les femmes enceintes qui avaient, seules, voyagé dans les cabines.

Petit cylindre de métal portant à l'extérieur le nom du Seigneur et contenant certains versets bibliques.

Destination barbelés, chevaux de frises, miradors et toujours soldats anglais. Atlit. Terminus. Tout le monde descend. Camp d'internement.

Après la fouille et mon inscription sur le grand cahier, j'ai navigué, ma valise d'une main, une couverture sur l'épaule, deux assiettes, une cuillère et une gamelle dans l'autre main jusqu'au premier baraquement, jusqu'au premier lit de camp inoccupé, sans me soucier des camelots politiques hurlant pour rassembler leurs troupes.

– *Hachomer Hatzaïr!*

– *Dror!*

– *Poale-Sion!*

– *Bétar!*

Personne n'avait dit « Français! »

Je me suis écroulé, sautant le repas du soir, soupe chaude et pain aux charançons. Demain, je verrais.

Le lendemain, j'ai vu, et le surlendemain, et les semaines suivantes, et le premier mois, et le deuxième – jusqu'au jour où j'ai cessé de compter les jours.

Je me souviens du premier matin, de la ruée vers les robinets. A qui s'aspergerait le premier, à qui retrouverait le plus vite sa dignité d'homme, à grands frottements de savon de Marseille, à grands coups de coupe-chou sur des barbes de dix jours. Les premiers rires en regardant les estafilades. Les nouveaux débarqués se reconnaissaient immédiatement. Ils étaient déguisés en dimanche parmi des centaines d'autres qui se laissaient aller, qui nous saluaient au passage.

– *Shalom.*

– *Shalom.*

Deux mots de polonais, de tchèque, d'allemand, de russe, de yiddish, de hongrois, de roumain. Pas une seule syllabe française.

Les mains dans les poches, au soleil levant, j'ai erré dans les allées, entre les baraques et les tentes, plus loin, fraîchement installées.

Les Anglais attendaient-ils donc encore du monde ? J'essayais de retrouver Sarah, un visage connu, ma langue, parmi les gosses qui jouaient déjà au foot avec des boîtes de corned-beef et les femmes qui faisaient la lessive. Soudain, cet air insolite, à tue-tête, qui recouvrait tous les bruits du camp.

Ah le petit vin blanc
Qu'on boit sous la tonnelle
Quand les filles sont belles
Du côté de Nogent…

Je me suis précipité. Un homme torse nu, replantant le piquet d'une tente, s'encourageait en chanson. Quand il m'a aperçu, il a posé son piquet. Il m'a tendu la main.

– Bébert, rue des Francs-Bourgeois. Et toi ? Qu'est-ce que tu fais là ?

– Rien. Je cherche des Français qui ont débarqué hier.

– Ah, c'est vous, le dernier arrivage ! Va falloir qu'on se serre encore un peu. Mais bouge pas, pépère, je vais te trouver ça.

Mon titi parisien a filé. Il est revenu en sifflotant.

– Je te les ai retrouvés en moins de deux, tes gus. D'ailleurs, ils te cherchaient aussi. Alors fastoche… Et puis ça tombe bien. J'en ai ma claque d'être avec des Boches qui parlent chleu toute la journée. D'accord, ils sont juifs, mais ça n'empêche. Attends-moi, je fais mes valoches.

Il est rentré dans sa tente, me laissant à mes illusions

perdues. « Un monde sans antisémitisme », comme le promettait madame Berman.

Bébert est ressorti avec toute sa quincaillerie dans un baluchon.

– Suis-moi, mon gars… Parce que tu comprends, les frisés, je me les suis déjà coltinés quatre ans dans un camp de prisonniers, alors merci…

Je n'ai jamais plus quitté Bébert, mon traducteur officiel. Un cas. Toujours prêt à la rigolade, et cet accent parigot qu'il traînait partout même lorsqu'il gueulait en hébreu ou en yiddish.

– Et toi, où que c'est que tu crèches ?

Je l'ai conduit vers mon baraquement.

– Allez, zou, tu caltes aussi.

Dix minutes plus tard, les embrassades, les présentations. Mon vieux Jacques et ses grosses lunettes, Michel enfin sorti de la cale, Henri étudiant en médecine, Marcel étudiant en confection, trois autres encore dont le prénom s'est noyé dans le brouhaha.

Heureux et inquiet. Jacques m'a deviné.

– Sarah s'est portée volontaire à l'infirmerie. Elle reviendra ce soir.

J'ai caché ma colère. Elle aurait pu m'attendre, me chercher. Quel jeu jouait-elle ?

J'ai mis des mois à tenter de comprendre cette espèce de cheftaine scout. Et je n'ai rien compris. J'avais besoin d'elle. Avait-elle besoin de moi ? Qu'elle soigne ses blessés, qu'elle lange ses bébés… Bébert avait déniché une bouteille de whisky, sans doute volée aux Anglais, et le soir j'ai fêté avec les Français réunis mon premier jour d'incarcération. Sarah n'était pas des nôtres.

Jour après jour, dans le désœuvrement de l'hiver qui

s'installait, j'ai perdu beaucoup de certitudes dont j'avais bien voulu me bercer. Si la solidarité existait dans le camp, elle ne jouait véritablement que contre les Anglais. Bravo pour l'attentat de Tel-Aviv. Deux morts. Pour le reste on s'entre-déchirait jusqu'aux gnons entre toutes les factions rivales. Irgoun contre Haganah. Terrorisme contre forceurs de blocus, devant une majorité qui n'était en Israël que pour être en Israël. Le reste ne les intéressait guère, ou de loin. Bientôt, ils iraient s'installer en ville, reprendraient leurs anciens métiers. La construction des kibboutz, le monde meilleur tant attendu n'était que le rêve de jeunes chiens fous comme moi. Les rabbins potassaient leur Talmud, hurlaient en yiddish qu'ils maudissaient jusqu'à la énième génération les renégats qui souhaitaient voir l'hébreu langue nationale. Le Bétar et la Haganah faisaient front commun pour les faire taire, détruisaient leur tente durant la nuit pour reprendre les injures et les coups le lendemain.

Je crevais d'ennui. Sarah s'agitait. De nouveaux arrivés apprenaient la vie d'interné et je traînais mes guêtres dans la boue de l'hiver. Saleté de boue.

Les Anglais regardaient sans intervenir ce zoo humain. Une fouille impromptue pour échapper au ronron. Et le ronron recommençait. Personne ne craignait les Anglais. Bébert ne m'amusait plus. Les récits des rescapés me donnaient la nausée. Alors je reprenais *Le Rouge et le Noir*, assis près des barbelés. Une sentinelle anglaise me saluait de la main et je pensais à mon père, à ma mère.

Je connaissais bien maintenant une cinquantaine de mots « ivrite* » passe-partout. Sarah m'échappait, me

———
Hébreu, en hébreu.

119

racontant toutes les misères du monde qu'elle soulageait, puis repartait en soulager d'autres. Qu'est-ce que je foutais là ?

L'espoir, sans que je m'y attende, un matin que le vent amenait les premières senteurs des orangers. Une odeur enivrante. Une agitation inhabituelle aux portes du camp. Les soldats qui s'empressaient. Les officiers qui hurlaient. Un général arrivait. La rumeur s'est répandue. Bon. On allait voir un général.

– On en a vu d'autres, a plaisanté Bébert. Allez, tous au défilé.

Ça saluait de partout. Puis une toute petite escorte a accompagné notre extraordinaire visiteur dans le camp. Il avait du cran, celui-là. Il semblait davantage intéressé par nos baraques, nos tentes, nos bornes d'eau que par les plis impeccables des uniformes.

– Et si on lui disait ce qu'on pense ? a proposé Bébert. Si on lui parlait de la bouffe. Qu'il nous envoie au moins un calendos.

Inutile de lui dire ce qu'on pensait. Il était devant nous, sans un galon manquant, un stick sous l'aisselle et ses yeux bleus droit sur moi. J'étais en sueur. D'un impeccable accent british, il s'est adressé aux capitaines, commandants, lieutenants généraux qui l'entouraient.

– Il va falloir changer tout ça !

Les autres ont approuvé. Mais lui n'avait toujours pas détaché son regard du mien. Et moi je le reconnaissais. Lui, ici, entouré de quelques hommes autrefois crasseux et barbus. L'homme en bleu. Son regard pétillait. Et c'est en général qu'il m'a pincé la joue.

– *Good luck !*

L'esquisse d'un clin d'œil. Il a poursuivi son inspection,

lentement, pour retourner vers la sortie, salué comme il se doit.

J'ai compris que le camp était miné de l'intérieur, que les barbelés n'étaient rien, que la Haganah pouvait tout, que nous n'étions pas oubliés pour toujours. Il fallait qu'on sorte. Le regard narquois de l'homme en bleu nous y invitait, m'y invitait en tout cas.

Branle-bas de combat. J'avais lu *Germinal*, non ! J'étais tellement sûr de moi. J'ai confié à Bébert qu'on s'en allait.

– Compte sur moi, m'a-t-il dit. Avec une pelle, je creuse sous la baraque, et dans cinq-six ans…

Je n'avais pas le cœur à rire. J'avais ma gueule butée des jours mauvais mais c'était un bon jour. Sarah n'a pas compris que je l'arrache à son infirmerie.

– Tu vois bien que tu déranges.

– Peut-être, mais tu vas me suivre.

Je l'ai prise par le bras, l'arrachant à ses linges qui bouillaient dans une marmite rouillée.

Un quart d'heure plus tard, tous les Français m'écoutaient, incrédules. Je les aurais pilés. L'intervention de Jacques m'a redonné du courage.

– Oui, ce qu'il propose est possible. Par le Hachomer, je fais parvenir dehors la liste des partants. Ça prendra du temps, je ne sais pas combien. Mais vous acceptez tous d'aller au kibboutz qu'on vous désignera ?

Unanimité.

Jacques s'est levé. Il est parti rejoindre un discuteux éternel, en réalité un des responsables du camp. Qui le savait ?

Bébert, Henri, Michel, Marcel, Sarah, m'ont regardé

sans comprendre. Oui, c'était bien moi, le dévoreur de livres, le sioniste par raccroc qui prenait l'initiative. S'ils avaient su à quel point j'en crevais, de cette attente! Je n'avais pas la patience des religieux du camp qui attendaient leur Messie depuis près de deux mille ans. Eux n'étaient plus à quelques jours près.

L'affaire était lancée. Chacun d'y croire, d'autant que chaque jour sortaient de petits groupes, leur certificat d'immigration dûment établi.

J'avais choisi le Hachomer pour partir. Il était de gauche. Je crois que j'aurais vendu mon âme au Bétar, d'extrême droite, pour ne pas rester plus longtemps dans ce grand pandémonium juif, où les circonciseurs circoncisaient, les saigneurs de viande casher cashérisaient, les rabbins rabbinaient, les politiques politiquaient et où je m'emmerdais à mourir. Je ne parvenais plus à admirer ceux qui avaient davantage souffert que moi, qui avaient été torturés, qui avaient vu leurs gosses assassinés sous leur yeux... Je n'y parvenais plus.

J'attendais au pied de mes barbelés.

Jacques est venu s'asseoir à côté de moi.

– David, tu connais Hannah Senesz?

– Non, pourquoi? C'est quelqu'un du camp?

A sa tête, j'avais dû commettre un impair.

– Non, David. Elle était poète. Elle est venue s'installer dans un kibboutz au début de la guerre après s'être enfuie de Hongrie. Et en 1944 elle s'est fait parachuter derrière les lignes allemandes pour combattre les Nazis. Ils l'ont capturée, torturée, exécutée. Elle avait vingt-quatre ans.

Que fallait-il répondre? Sa voix trahissait son émotion. Mais que venait faire Hannah Senesz ici, à l'instant où, pour la troisième fois, j'essayais de comprendre cinq phrases de Montaigne, aussi difficiles que l'hébreu que je n'apprenais pas ?

Jacques s'est levé. Il a posé sa main sur mon épaule.

– Eh bien, David, on part. On part dans son kibboutz. Tu n'as pas entendu les haut-parleurs t'appeler ?

– Allez, arrête tes conneries.

J'ai vu Bébert rappliquer.

– Tu te magnes, David, on va rater le dernier métro.

C'était donc vrai. On partait. J'ai jeté un regard vers la sentinelle sur son mirador. J'ai fait signe de la main. Il a répondu.

– Alors, on pactise avec l'ennemi ?

– Tu parles, il doit avoir deux ou trois ans de plus que moi. Et, pour l'ennui, on est à égalité.

– Oui, mais seulement lui, il est libre.

– Pas nous ?

Un grand éclat de rire. Ils s'étaient tant habitués au camp qu'ils y étaient encore. J'étais déjà dehors.

Dix à partir. Au revoir, compagnons d'Atlit. Je vous aimais bien, rabbins, circonciseurs, politiqueurs. On se reverrait un jour peut-être. On se raconterait le camp. La fois où… Et puis la fois où…

A l'entrée du camp, un officier anglais a craché sous les roues du camion qui nous emportait dans la poussière. Crachat d'impuissance. La *Hatikva* lui a fait un pied de nez. Il a tourné le dos. Sarah s'est assise à côté de moi.

Palestine sous mandat britannique. Pas besoin d'écriteaux. Les chars, automitrailleuses, soldats aux carrefours le disaient avec lourdeur. Qu'importe. Grisé par le vent, la poussière, sur la longue route rectiligne qui descendait vers Tel-Aviv, j'étais le pionnier qui allait faire revivre le pays de ses ancêtres. Quels ancêtres ? Et pourquoi cette question idiote, tout à coup, vite effacée par ce que je découvrais ; de loin, de près, absente, revenue : la mer. Personne ne parlait. Même Bébert s'est abstenu. Et c'est tant mieux. Une heure de route légère, joyeuse, libre. Tout était permis. Peut-être Sarah, foulard noué sur les cheveux, changerait-elle ? Peut-être que… Tant de « peut-être » contre une unique certitude : je n'étais plus clandestin. Mon silence, c'était aussi la peur de l'inconnu, la peur de la liberté.

Le camion a quitté la route, s'engageant sur une piste de cailloux et de sable. Un panneau indicateur : CAESA-RIA.

Sept kilomètres de zigzags et la pointe d'un minaret, au loin. Bébert n'a pas pu se retenir.

– Chouette, un kibboutz arabe !

Une même réprobation. Un même merci. Bébert nous libérait tous de l'angoisse.

Césarée, ce n'était pas seulement un minaret, mais un port et sa jetée, quelques tentes bien plantées, des dromadaires broutant je ne sais quoi et des Bédouins occupés à charger du sable dans des sacs de chanvre. Et la mer, étale.

A n'y rien comprendre. Mais le camion a tourné à gauche. Cinq cents mètres plus loin, il débarquait sa cargaison peu rassurée. Il n'y avait pas de doute quant à l'accueil des Anglais, mais ici ?

Une fois encore madame Berman avait menti. Les belles cartes postales des beaux kibboutz qu'elle nous avait montrées avaient dû être retouchées. Devant nous, quelques tentes marabouts, cinq baraques en planches, deux autres en cours de fabrication et une petite bâtisse carrée blanchie à la chaux, sur une dune dominant la mer. Plus tard, je découvrirais d'autres merveilles, dont l'étable et le poulailler, cachés plus loin dans les dunes.

– Si c'est ça, un vieux kibboutz, alors moi je suis Mathusalem !

Ça ne pouvait être que Bébert jouant le chœur antique. Pas le temps de réagir. Un homme torse nu, en short et grosses galoches s'est avancé vers nous, le sourire engageant.

– *Shalom !*

– *Shalom !*

Il nous attendait et son hébreu nous a souhaité la bienvenue. Sa main a serré toutes les mains sauf la mienne. Il s'est planté devant moi, sinistre. Il a tendu le bras vers mon cou, ma mesuzah que j'avais oubliée depuis belle lurette. Il me l'a arrachée brusquement, accompagnant son geste d'une bordée d'injures que Bébert a traduites plus tard. Je n'étais qu'un petit crétin, Dieu un imbécile qui n'existait pas et si je n'étais pas content je pouvais m'en aller illico rejoindre un kibboutz religieux.

J'étais rouge de honte et de colère. J'ai bafouillé « mais je ne crois pas en Dieu ». Ça ne l'a pas calmé. Pourquoi une telle haine ?

– Ici, on parle hébreu, a-t-il hurlé en hébreu.

Si ça lui faisait plaisir. David, le vilain petit canard, venait de faire son entrée au kibboutz.

Puis l'homme s'est ravisé.

– Je m'appelle Mordéchaï, je suis le responsable du kibboutz. Bienvenue quand même.

Il m'a tapé sur l'épaule, retrouvant le sourire. On effaçait tout.

J'ai compris plus tard la violence de sa réaction. Dieu avait laissé exterminer toute sa famille. Je n'ai pas parlé de la mienne. Je n'incriminais plus Dieu.

De *shalom* en *shalom* nous avons parcouru le kibboutz, laissant nos valises et baluchons au pied des trois marches de la bâtisse blanche, salle à manger, salle de réunions, salle des fêtes. Des femmes, des hommes de tous âges nous saluaient puis se remettaient à pendre le linge, à clouer les baraques, à s'occuper des enfants.

Mordéchaï expliquait, citait des prénoms sitôt oubliés, désignait des lieux. Évidemment Sarah ne pouvait qu'être zélée. Elle questionnait. J'ai traîné les pieds. Mordéchaï l'a pris pour lui.

– Excuse-moi encore, m'a-t-il dit.

J'ai rejoint le groupe. Je découvrais les immenses dunes au-delà du kibboutz. Sans nous en rendre compte, nous étions doucement descendus vers la plage, immense, barrée seulement sur notre droite par le port, son môle et le minaret.

Je n'ai pas retenu grand-chose des premières recommandations de Mordéchaï, assis parmi nous. Je jouais. Je caressais un sable d'une douceur inconnue, chaud, apaisant. La mer elle-même et ses vagues se cassaient une centaine de mètres devant nous sur une digue qui affleurait à peine. La Méditerranée devenait lac.

– Ce sont les vieilles digues romaines usées aujourd'hui. Autrefois, du temps d'Hérode, c'était le plus grand port du monde. Un peu plus loin tu verras la « piscine de Cléopâtre ». Je ne sais pas pourquoi on l'appelle ainsi.

J'ai lentement réalisé que Mordéchaï s'adressait à moi, sans animosité, qu'il parlait avec douceur de cet espace si beau qu'il m'en avait fait oublier mon rôle de pionnier.

Il a bien fallu y revenir et j'ai rougi.

– Y a-t-il un couple parmi vous ? a demandé Mordéchaï.

Le regard de Jacques s'est porté tour à tour sur Sarah, sur moi. Bébert a ponctué d'un « tu parles, Charles ». Sarah, sans rougir, sans pâlir, a dit non.

– Bien, alors pas de chambre pour couple. Les hommes avec les hommes. Les femmes avec les femmes. Je vous montrerai.

– Comme chez les Anglais, a dit Bébert, sans gêne.

J'en ai voulu à Sarah. En même temps elle me sauvait de ma peur. Me retrouver seul dans une chambre avec elle. Mon désir, ma hantise, ma crainte, mon rêve. Tout remis à plus tard. Tant mieux. Mais une colère muette qu'elle me rejette devant tous. Une humiliation de plus. La vengeance immédiate. Elle s'est retournée contre Jacques qui buvait les paroles de Mordéchaï en hochant la tête.

– Et puis il va falloir trouver un prénom hébreu pour certains d'entre vous. L'hébreu, c'est désormais votre langue. La langue de notre pays.

– Jacques, tu as vraiment la tête à t'appeler Jacob. Pas vrai ? Jacob, c'est vraiment beau. Eh, Jacob ?

J'ai frappé sur l'épaule de Jacob qui, comme un crétin, continuait à hocher la tête.

Henri, Michel, Marcel sont devenus blancs. Changer de nom ! Ça demandait réflexion.

– Moi, c'est Bébert jusqu'à ce que je crève. Je peux accepter Robert à la limite, c'est mon vrai prénom. Mais un truc de la Bible, vous pouvez vous rhabiller. Est-ce que j'ai la tronche d'un rabbin ?

C'était Bébert. Mordéchaï n'avait qu'à bien se tenir. Une seule réplique. Il n'était plus maître de la situation. Les Français se sont mis à parler en français. Garder, ne pas garder son prénom ? Et si Bébert avait raison ? C'était encore une des rares choses intimes qui nous restait d'un passé pas si lointain.

Seule Sarah a entonné le credo, reléguant le yiddish à ses ghettos. Chacun l'a regardée. De quoi parlait-elle ? Il n'était pas question de yiddish mais d'une grande dispute française.

– Oui, mais choisir un prénom hébreu c'est s'intégrer plus vite.

– Facile, cocotte, tu t'appelles Sarah. Toi, ça ne te change pas. Puisque tu es si maligne, trouve un autre prénom, tu verras l'effet.

Le bon sens de Bébert.

Mordéchaï s'est levé en hurlant.

– L'hébreu ou rien. D'ailleurs, chaque soir, après le travail, des cours vous seront donnés. Je comprends votre énervement. Vous venez juste d'arriver. Ne vous inquiétez pas, vous vous y ferez sûrement. Tâchez de parler hébreu entre vous, c'est tellement facile.

Ça ne devait pas être aussi évident. Pourquoi toutes ces petites affichettes partout dans le kibboutz : « Parle hébreu », « Ne parle pas yiddish ». Le comble : elles étaient écrites en hébreu !

Il était temps de s'installer. J'ai ri. Mordéchaï a expédié Sarah dans un « lit chaud ». En français, il s'agit d'un lit supplémentaire dans une chambre déjà occupée par un couple. En guise de séparation, un drap tendu. Intimité assurée, d'autant qu'aux heures où Sarah travaillerait une camarade viendrait y dormir.

J'ai gagné ma tente et ses lits de camps. Abonnement permanent. Bébert s'est désigné pour être mon voisin.

– Entre Parigots, on pourra continuer à échanger des souvenirs !

Jacques, devenu Jacob, et Henri, devenu Haïm, sont passés dans les rangs des « hébreuisants » à tout crin. Inutile de leur adresser la parole. Ils répondaient inlassablement « parle hébreu » et suivaient avec assiduité les cours du soir.

J'avais bien tenté l'expérience, plutôt décidé à bien faire. J'ai réussi à tenir cinq minutes. Je me suis assoupi. Après neuf heures de travail, j'étais à bout de force.

– Ben mon vieux, quand tu roupilles, tu roupilles.

Bébert m'avait porté sur ses épaules et mis au lit. Je n'en gardais aucun souvenir.

– Je t'ai même bordé comme un bébé.

Je me suis senti honteux le lendemain devant les membres du kibboutz. Jacques, Henri et Sarah m'ont fait la gueule, certains de mon évidente mauvaise volonté. Les autres m'ont souri. Peut-être avaient-ils eu, comme moi, une légère faiblesse, au début. Mais ils avaient poursuivi. J'ai abandonné. Plus question de me voir à l'école après tant d'heures passées à mon poste de travail. Apprentissage sur le tas à la petite fabrique artisanale de construction de bâteaux de pêche dans un hangar surchauffé. Bruit insupportable. J'ai cloué, scié, assemblé des planches, le ventre creux, très creux.

Bébert l'a dit tout cru.

– On bouffait mieux chez les Angliches !

Ce n'était pas une plainte.

Dans la salle à manger, à la mesure des cinquante habitants du kibboutz, les huit tables de bois n'offraient guère que des pâtes, des oignons frits, un demi-œuf dur, une lichette de margarine. A quatre heures, pour la restauration des braves, du thé servi dans un quart en fer-blanc. Pas de sucre mais des dattes en quantité, accompagnées de la même quantité de mouches et de guêpes.

– Avec les bananes et les oranges, dans quelque temps on sera plus riches.

Espoir partagé par tous comme on partageait les couteaux : deux par table. Comme on partageait les vêtements, les sous-vêtements, les chaussettes. Seules les chaussures nous appartenaient. Et encore…

Sarah en a fait la douloureuse expérience.

Vers dix-sept heures, une veille de shabbat, elle était allée à la lingerie, comme chacun, chercher ses habits du dimanche. On lui avait tendu son paquetage. Le soir, dans la salle à manger, pour le dîner amélioré – un œuf dur entier et davantage de margarine –, elle paradait en escarpins rouges et en blouse blanche brodée, magnifique. J'étais jaloux. Sans doute moins que les autres femmes au regard d'envie. Je guettais les hommes. Sarah était belle. Et le soir, chacun de vouloir l'inviter à danser. Elle était la reine de la soirée.

J'ai dit que j'étais épuisé. Je suis allé marcher sur la plage, longtemps dans la nuit noire d'encre qui tombait d'un coup. Mes pensées étaient encore plus noires.

Au shabbat suivant, alors que je me rendais à la salle à manger, j'ai trouvé Sarah sur mon chemin, assise sur une marche, en larmes. Impossible de lui tirer un mot. Peut-être parce que je parlais français ? J'ai posé ma main sur son bras.

– Va-t'en, a-t-elle hurlé, va-t'en. Tu es comme les autres.

Évidemment.

– Mais pourquoi tu m'en veux ?

– Vous êtes tous des salauds. Ce soir, c'est Tania qui a mes escarpins et ma blouse brodée. C'était à moi, à moi !

J'ai éclaté de rire. La voir pleurer m'a ôté tout désir de la consoler. Elle m'était devenue étrangère. Je n'attendais plus rien d'elle. Je l'ai laissée à ses pleurs sans remords, sans colère, apaisé, débarrassé d'une petite fille capricieuse que j'avais aimée, qui m'avait enlacé. Elle n'était plus rien. C'est Tania, ce soir-là, qui a eu les honneurs de la fête. Et je la regardais danser. Je savais Sarah dans son « lit chaud ». Elle sanglotait sans doute. Je n'en ai gardé ni rancune ni joie.

Sarah est venue s'asseoir à côté de moi, le lendemain, jour de repos, au moment où je m'allongeais tout trempé sur le sable. Elle a mis sa main sur mon dos. Je me suis redressé, le visage tendu.

– Tu m'as fait assez courir. Aujourd'hui, c'est fini. Quand tu pleures, ça me laisse froid. Je n'aime pas les filles dans ton genre, les filles à papa. Trouve un autre toutou que tu apprivoiseras. Jacques n'attend que ça... Mais tu peux trouver quelqu'un d'autre, tu lui feras de grands discours.

Je me suis levé. J'ai couru dans les vagues, heureux, libre. C'était la première fois que je ne prenais pas une décision dans l'urgence, que je ne disais pas non parce qu'il fallait dire oui. J'avais changé. J'ai goûté ce plaisir en faisant la planche, longtemps, les yeux fermés, réchauffé par le soleil.

– Ben mon pote, t'y vas franco avec les gonzesses, a dit Bébert sentencieux alors que j'essayais de lui expliquer que j'avais vraiment, vraiment changé.

J'ai souri, refusant de lui livrer le reste de mes pensées. A ma place, Julien Sorel aurait tenté de la rendre jalouse.

Je n'étais plus Julien Sorel. J'entends encore la réplique de Bébert.

– C'est qui, ce zigue, Julien Sorel ? Un pote à toi ? C'est pas juif comme nom !

Le printemps est passé en travaux de forçats. L'argent gagné a servi à l'achat d'un tracteur. Vote à l'unanimité moins une voix lors de l'assemblée générale. Seul Moses avait avancé, prudemment, l'idée qu'avec rien, juste un peu de monnaie, chacun pourrait avoir quelque chose à lui, se rendre à Hedera en autobus, les jours de repos, ou autre chose – il ne savait pas quoi.

Je n'ai pas suivi l'argumentation serrée de Mordéchaï et des autres. Elle s'est résumée en hurlements, imprécations, injures, braillements qui faisaient de Moses un individualiste forcené, un mauvais camarade qui faisait passer son intérêt personnel avant l'intérêt de la collectivité. Sacrilège. Je revois le pauvre Moses, au bord des larmes, lui qui avait survécu à Treblinka, demander pardon-je-ne-recommencerai-pas. J'ai vu Bébert regarder Moses la gorge nouée et quitter l'assemblée sans un mot.

Il n'a retrouvé la parole que deux jours plus tard.

– Salauds !

Combien étions-nous de lâches à n'avoir pas défendu Moses ? Jacques, de lui-même, a rompu la quarantaine dans laquelle il croyait m'avoir mis.

– Mordechaï n'avait pas le droit.

– Il l'a pris, mon vieux. Tu crois toujours que le kibboutz rend les hommes meilleurs ? Tu crois encore que parce qu'on est juif, qu'on a été persécuté, on devient spontanément bon ? Il y aura toujours des cons sur terre. Pourquoi n'y en aurait-il pas au kibboutz aussi ?

Jacques a serré les dents. Un violent coup de vent l'a sauvé. Et, des pleurs rentrés, on est passés au fou rire.

– Au secours ! au secours !

On s'est retournés. A quelques mètres de nous, Abraham, cul nul, assis sur la planche trouée des cabinets, tentait de retenir la seule plaque de tôle ondulée qui restait de la cabane après la mini-tornade. Et plus il appelait à l'aide, plus les camarades couraient à la rescousse pour rester plantés devant lui, pliés de rire, incapables d'un geste secourable.

Trois fois par semaine les rires s'achevaient avec la nuit. Du moins pour les hommes. Et les femmes volontaires. Il fallait apprendre à se défendre, au cas où... Quatre guetteurs et le reste de la troupe s'enfonçaient dans les dunes, armés de fusils, de pistolets volés aux Anglais, achetés à l'étranger.

Mordéchaï m'a pris en amitié. En quelques gestes, j'avais retrouvé mes automatismes du maquis. Il m'a nommé instructeur et j'avoue que voir Jacques s'appliquer en essuyant ses lunettes dans la nuit était un spectacle à tuer raide un Anglais. Tir à balles réelles, une seule fois. Ne rien gâcher. Malgré deux côtes fêlées par une crosse de fusil dérapant au recul, Jacques a poursuivi l'entraînement intensif. A la fin de l'exercice, quatre camarades ramenaient les armes aux caches. Je n'ai jamais su où elles étaient.

Les jours de grosse chaleur sont arrivés. Travailler aux bananes tenait de l'exploit. Serre étouffante et serpents à éviter. Dormir semblait aussi difficile que travailler. Restait le shabbat pour faire surface, nager, plonger, marcher dans les dunes aux mûriers extraordinaires. Lire me semblait impossible. Je me suis constitué un autre trésor. Partout en direction du port du village arabe, un coup de patte dans le sable et c'était la découverte de vieilles pièces romaines. J'en ramassais plein mes poches.

– Ben mon coco, si tu vas les échanger à la banque, j'aimerais bien voir la gueule du guichetier. Allez, fous-moi ces vieilleries en l'air.

Bébert n'avait aucun don pour la numismatique. Il en avait d'autres.

– David, tu fermes ta gueule mais shabbat prochain tu rassembles tous les Français derrière la dune, à côté du potager.

J'ai obéi. J'ai fait passer le mot. En traînant ils ont bien voulu accepter. Je n'en savais pas davantage.

Toutes les nuits de cette semaine, Bébert n'est rentré qu'à l'aube, au moment du réveil. Rien ne transpirait. Il souriait en roulant des épaules, en se frottant les mains.

Le grand soir est arrivé : shabbat ordinaire, vêtements propres et tous les Français qui s'éclipsent avec discrétion. Personne ne semblait avoir remarqué l'absence de Bébert.

Il était là, debout derrière la dune, devant un feu allumé.

– La soupe est prête ! Vous boufferez bien avec les mains mais faites gaffe à vos beaux habits.

Incroyable Bébert, quatre énormes lapins rôtis nous attendaient. Et nous crevions de faim depuis des mois. Les luttes linguistiques se sont tues dans le bonheur de la mastication.

– Sacré Bébert ! Pourquoi tu n'as pas proposé…

Henri n'a pas fini sa phrase. Mordéchaï-garde-chiourme aboyait déjà.

– Allez, Mordéchaï, gueule pas, viens t'asseoir et mange. C'est du lapin, ça mord pas.

Bébert se régalait. Mordéchaï beuglait.

– Du lapin, vous mangez du lapin mais vous savez bien que c'est interdit. Dans la Bible, le lapin a les pattes…

D'un bond, dans une colère folle, j'étais sur lui. Je l'ai renversé sur le sable. Je me suis assis sur son gros ventre de crétin. Je l'ai empoigné par le col de la chemise.

– Dire que c'est toi, connard, qui m'as arraché ma mesuzah le jour de mon arrivée, que c'est toi qui as craché sur Dieu et qui me parles aujourd'hui de la Bible. C'est pas du lapin que tu vas bouffer, mais du sable.

De ma main libre, j'en ai pris une pleine poignée que je lui ai collée sur la bouche.

– Tiens, mange, mange, c'est casher !

Il fermait la bouche. Il se débattait. Bébert tranquillement est venu à ma rescousse.

– Mais il va en bouffer.

Et, pinçant le nez de Mordéchaï, il l'a contraint à ouvrir un large bec.

– Et maintenant, Mordéchaï, je vais te dire une chose, une bonne fois pour toutes. Si jamais tu dis un mot, un seul mot de toute cette histoire, je jure devant tous mes potes, devant mes parents aussi morts que les tiens, que je te tue. Lâche-le, David.

Je l'ai lâché. Il s'est relevé, s'est secoué comme un chien. Il a disparu.

La voix de Sarah.

– Mais vous allez vous faire virer du kibboutz.

– Petite conne. Il chie dans son froc et c'est toi qui as peur. Il sait très bien que Bébert n'a qu'une parole. Un mot et je le crève. On meurt de faim mais pas touche aux lapins… Si c'est ça, un kibboutz pas religieux… Et puis toi, si t'es pas contente, tu te tires. Moi qui voulais vous faire plaisir.

Ils sont tous partis, nous laissant Bébert et moi.

– C'est bien, David. Des fois, faut avoir le courage de tenir tête aux kapos. Et celui-là, je vais me le payer.

– Laisse, Bébert. Je crois qu'il a compris.

Bébert a fait un signe de la tête et nous avons mangé.

Durant une quinzaine de jours, Mordéchaï nous a évités. Mais Jacques, Henri, Michel, Sarah… aussi. Les lâches.

La vie a repris comme avant les lapins. J'étais à la bananeraie.

– David, Mordéchaï demande si tu peux passer le voir ?

– J'accours.

Je suis sorti de la fournaise collante.

– Alors, camarade ?

– Écoute, David, tu es un bon élément même si parfois tu n'en fais qu'à ta tête. Ce soir, j'ai besoin de gens de confiance.

– Compte sur moi.

Il m'a serré la main.

– A ce soir, au port. Vingt-deux heures.

Je suis retourné à la bananeraie. Mordéchaï avait le visage des jours mauvais, blanc, traits crispés. Ce même visage fermé qu'il avait affiché après l'attentat contre l'hôtel King David, le quartier général britannique. Les quatre-vingt-onze morts dénombrés par la T.S.F., qu'il écoutait toute la journée, annonçaient des représailles. Elles ne vinrent pas. Mordéchaï a maudit l'Irgoun et sa politique de terreur. On en est restés là. Mais les Anglais se montraient de plus en plus nerveux. Parfois une jeep entrait en trombe au kibboutz. Les soldats inspectaient les registres, nous regardaient avec mépris, repartaient.

J'ai passé une sale journée. Mes camarades de bananes n'étaient guère plus joyeux ni loquaces que moi. Savaient-ils quelque chose de plus ? Une seule certitude : ceux qui chantaient en plaisantant ce jour-là ne seraient pas au port à vingt-deux heures.

Personne n'a vu la coque du bateau. Mais il était bien là-bas, à quelques encablures, tous feux éteints. Le silence était atroce : chacun avait envie de hurler de bonheur. Un bateau de la Haganah avait réussi à forcer le blocus anglais. On aurait voulu chanter, danser, applaudir. Il a fallu aider au débarquement. Les chaloupes allaient, revenaient, débarquant les nouveaux arrivés sur une minuscule digue. Un silence de mort pour un éclat de joie. Quelques signaux lumineux partis du bateau : il avait délivré toute sa cargaison d'hommes, de femmes, d'enfants, de bébés que leurs mères tentaient de faire taire. Quelques vagissements qui faisaient naître des « chut » bien plus forts. J'ai guidé une file de vingt émigrants qui se tenaient par l'épaule, en file indienne jusqu'à un camion ronronnant. Je les ai aidés à monter. J'ai fait signe au chauffeur. Le camion s'est mis à rouler lentement sur les planches qu'on avait préparées, dès le début, pour éviter l'enlisement. J'ai agité la main. Bonne chance ! Je suis rentré me coucher. J'avais accompli ma mission. Dans le silence de la tente, un à un, les autres camarades sont revenus s'allonger.

La nuit avait été trop belle : le réveil d'autant plus cruel. A l'heure des premiers étirements, bâillements, les yeux à peine entrouverts et les courbatures de la veille encore intactes, des hurlements se sont fait entendre. Le temps de sauter du lit, de mettre le pied dehors, j'avais en face de moi tout ce que l'armée britannique comptait de chars d'assaut, de corps d'élite et de barbelés. Le kibboutz était encerclé et je n'avais qu'un slip et un maillot de corps pour braver les fusils-mitrailleurs et les matraques qui commençaient à entrer en action. Un coup sur la jambe pour commencer et, dans les cinq minutes, tous les hommes valides et invalides étaient parqués, assis, mains sur la tête près de la salle à manger dans un nouveau cercle de barbelés. Des soldats nous tenaient en joue. D'autres, plus zélés, arrachaient les femmes des tentes, des chambres, les tirant par les cheveux. La mise à sac a commencé. Pourquoi tant d'acharnement, tant de violence à détruire ? Lits de camps cassés, linge déchiré, la moindre affaire personnelle écrasée à coups de talon. Les maisons d'enfants n'ont pas été épargnées. J'ai vu des matelas de bébés transpercés à coups de dague. Ils utilisaient leurs armes pour trouver nos armes, nos caches. Pour qui payait-on ?

Pourquoi cette sauvagerie ? Les seules balles que nous avions tirées n'avaient touché que des buissons. Si l'Irgoun, le groupe Stern assassinaient, pourquoi nous matraquer, nous ? J'étais naïf. Je n'avais pas compris que nous étions en guerre. C'était une insulte à Sa Majesté que de vouloir vivre en paix, que de faire passer des clandestins.

Un à un nous sommes passés dans la salle à manger. Interrogatoire.

– Où sont les armes ?

– Quelles armes ?

J'ai reçu un nouveau coup de matraque sur l'épaule. Tapez les premiers, messieurs les Anglais, je vous dis « merde ». Comme si je savais où étaient les caches. Merci, Mordéchaï, de n'avoir jamais rompu la clandestinité.

C'est le sourire aux lèvres que j'ai rejoint mes barbelés. D'autres sourires m'ont répondu.

Au deuxième jour, les Anglais n'avaient rien trouvé, que nos couteaux de cuisine. Précieux butin. Ils pourraient toujours tartiner leur margarine. Ils nous ont tous rassemblés et conduits vers la bananeraie. Un officier a hurlé dans un porte-voix :

– Si dans cinq minutes je ne sais pas où sont cachées les armes alors…

Cinq minutes d'un silence intenable.

Alors la bananeraie s'est enflammée, l'orangeraie s'est enflammée, l'étable s'est enflammée.

Pas un cri. Pas un murmure.

– Bon. Rassemblez les hommes !

Et les hommes sont montés dans des camions. Les camions ont pris la piste. Les femmes ont pleuré. Des hommes ont pleuré dans la fumée de leurs récoltes détruites. Ils reviendraient. Ils reconstruiraient.

Nouveau camp d'internement, quelque part dans le Sud. Nouveaux barbelés. Nouveaux miradors. Vieux baraquements ayant autrefois servi de hangars pour blindés. La grande rafle. Quelque trois mille saboteurs d'un coup, allongés sur des lits, des hamacs, à même le sol. Et les groupes qui se reconstituent par pays d'origine, par appartenance politique, par kibboutz. Les appels, les interrogatoires.

– Nom ?

– Prénom ?

Un regard de l'officier sur les photos des hommes recherchés. La tête qui se relève.

– C'est bon, va-t'en.

Je suis parti rejoindre Jacques. De nous tous, c'est lui qui avait le plus mal réagi.

– Salauds, salauds d'Anglais !

– Jacques, n'oublie pas que c'est eux qui t'ont libéré.

– Et alors ? Ils n'avaient pas le droit de tout brûler. Je les tuerai. Je les tuerai.

– Allez, viens te balader.

– Non, je vais chercher ceux de l'Irgoun. Ils ont raison. Il faut tuer les Anglais, les chasser. Vous êtes des lâches.

Jacques est parti. Je le retrouverais.

Je n'ai jamais retrouvé Jacques.

Il a fallu tuer le temps sous le soleil qui faisait fondre le goudron. Tuer le temps plutôt que les Anglais. Essayer de rire encore aux plaisanteries de Bébert. Tenter d'écouter Mordéchaï qui racontait si bien le kibboutz reconstruit, la vie nouvelle, l'arrivée en masse de tous les Juifs d'Europe.

– Il y en aura tant que les Anglais baisseront les bras. Ils ne peuvent pas nous tuer tous. D'ailleurs ils n'en ont pas envie. Ils veulent rentrer chez eux. Leurs troupes n'ont pas le moral.

Mordéchaï ne connaissait pas le mien. Le désœuvrement avait été supportable le premier mois. Ils nous relâcheraient bientôt. Et les souvenirs récents sont revenus.

– Tu te souviens des lapins, Henri ?

– La tête de Mordéchaï !

Avec les jours qui s'engluaient, les souvenirs sont devenus questions. J'ai pressé Mordéchaï. Il avait réponse à tout. Il ne parvenait pas à emporter une quelconque conviction.

– Mais on est bien un kibboutz laïque, Mordéchaï, alors pourquoi c'est un rabbin qui célèbre les mariages ? Ça n'a aucune légalité. Un mariage, c'est à la mairie. Ton rabbin, c'est religieux. Tu as déjà vu un rabbin laïque ?

Son sourire n'était pas une réponse. Je sais, j'étais jeune, très jeune, je comprendrais plus tard. Mais…

– Toi non plus, tu ne crois pas. Tu m'as arraché ma mesuzah, tu m'as engueulé et c'est toi qui organises au kibboutz la fête de Pâque. A quoi ça rime, Mordéchaï ? A quoi ça rime ?

Je ne me suis pas aperçu que j'avais haussé le ton, qu'un petite groupe s'était formé, m'écoutant raconter Pâque.

– D'accord, les Hébreux sont sortis d'Égypte, mais qu'est-ce que ça peut bien me faire que tu lises la Bible dans la salle à manger ? Parce que c'est la Bible que tu lis, pas autre chose. Alors arrête de me prendre pour un con. L'histoire de Moïse, de son pain azyme, c'est pour les religieux, pas pour moi. C'est ça le pays qu'on va construire ? Moi, Moïse, je m'en fous. Et me faire croire que Dieu lui a dicté les Dix Commandements, là-haut, sur le Sinaï, c'est comme chez les curés qui m'ont caché pendant la guerre. J'y crois pas.

Mordéchaï n'a pas eu à me répondre. Une bonne dizaine de kibboutznikim ont pris la relève.

– Mais c'est ça, l'histoire juive. On fête Pâque parce que c'est la sortie d'Égypte comme aujourd'hui c'est la sortie des camps, les retrouvailles avec la Terre promise.

143

– Mais pourquoi vous mélangez les deux ? La Bible, c'est la religion. Les camps, l'immigration clandestine, c'est toi, c'est moi, nos parents. Moi, mes parents, ils ne croyaient pas. Je n'ai jamais mis les pieds dans une synagogue ! Et vous, vous fabriquez des synagogues laïques ; c'est dégueulasse. Chacun à sa place.

– Si t'es pas content…

– Je sais.

Je n'avais qu'à m'en aller. J'ai quitté le groupe. Je suis retourné à mon hangar, mon lit, mes interrogations que je n'avais jamais eu le temps de cracher parce que travailler comme une mule empêchait de penser. Tout ressortait, le jour, l'après-midi, la nuit, sous les miradors. Et pourquoi Michel sanglotait-il ?

– Je n'ai pas reçu de lettre de Nitza.

– Mais tu sais bien que le courrier est intercepté, qu'ils ne le distribuent pas. Elle t'a écrit, c'est sûr. Allez, tu la reverras dans pas longtemps.

– Tu crois ?

– Non. J'en suis sûr.

L'ébauche d'un sourire. L'arrêt des sanglots.

Bébert à la rescousse.

– Alors, les potes, le moral des troupes ?

A nous regarder, Michel et moi, il a vite compris.

– Faut être philosophe dans la vie. Vous voulez savoir comment ça se passait dans les camps de prisonniers, en Allemagne ? Vous allez vous marrer. Tiens, un jour… D'accord, vous vous en foutez, mais ici avec les Anglais c'est de la gnognote. Ils nous foutent la paix.

Pas ce jour-là, exceptionnellement. Rassemblement. Fouille surprise du grand cirque et nouvel interrogatoire.

– Nom ? Prénom ? D'où tu viens ?

– De France, pourquoi ?

– Fallait y rester, petit, tu ne vois pas qu'ils te montent la tête ? Les Français, c'étaient nos alliés. On a aidé à libérer la France. Allez, tâche de réfléchir.

Il me rappellerait certainement dans quelques jours pour me tirer les vers du nez, pour que je donne un nom. Qu'il compte sur moi ! Pour réfléchir, je n'avais pas besoin de lui.

Le découragement avait gagné Henri. Il partirait prendre ses frusques au kibboutz et s'en irait en ville.

– Qu'est-ce qu'on connaît de la Palestine, David ? Un quai à Haïfa, un camp d'internement, un kibboutz et un nouveau camp d'internement. Qu'est-ce que tu en penses ?

– La même chose que toi. Mais aller en ville, à Haïfa ou Tel-Aviv, en quoi ça te changerait de Paris ? Dans ces cas-là, moi je préfère Paris.

Peut-être les Anglais réussissaient-ils leur coup. Les saboteurs, les terroristes leur échappaient. L'union sacrée contre l'occupant battait de l'aile.

Deux mois et demi après mon arrivée, il ne me restait du kibboutz que des souvenirs aigres. Oui, on s'occupait des gosses. Ils étaient les dieux, l'avenir à couver, à chérir, mais qui s'en occupait ? Certainement pas leurs parents. Ils ne les voyaient que deux heures par jour. Les gosses, ça gêne, quand on travaille. On leur avait construit des châteaux, ils ne demandaient que de la chaleur. Je me souviens du petit Uri qui s'échappait de sa maison d'enfants pour rejoindre son père. Il le rabrouait devant les camarades.

– Vite, vite, rentre. Allez, dépêche-toi.

Uri repartait en pleurant. Son père me regardait. Il

n'osait pas pleurer. Mais s'il avait pu, il aurait tout abandonné pour serrer Uri dans ses bras, jouer avec lui, nager avec lui.

Uri, quand je rentrerai, je te prendrai dans mes bras. Je te couvrirai de baisers. Que fais-tu en ce moment, Uri ?

Quand je rentrerai au kibboutz, je dirai tout à l'assemblée générale. Tant pis pour la pagaille. Tant pis pour Mordéchaï. Tant pis si je devais me faire virer. Il fallait que ça change. Et puis… Je n'en parlais à personne.

C'était devenu une idée fixe, obsédante, torturante.

La torture a cessé. Sans prévenir, les Anglais nous ont relâchés un matin. Il n'y a pas eu de cris de joie. Je n'ai pas desserré les dents de tout le trajet.

L'accueil a été chaleureux. Je me suis faufilé jusqu'à ma tente reconstruite. Je me suis accroupi à la tête de mon lit défait. De ma main, j'ai creusé le sol. Elle était là. Je l'ai sentie. La photo de mes parents. J'ai ôté les grains de sable un à un. Je me suis allongé. J'ai pleuré. Lazare, Clara, dites-moi que je ne vous ai pas trahis. Que vous êtes fiers de moi comme je suis fier de vous. Aidez-moi, je n'en peux plus. Dites-moi que j'ai raison de ne pas haïr les Anglais, dites-moi que je n'ai rien à faire au kibboutz, que je me suis trompé. Aidez-moi, je vous en supplie. Je n'ai plus rien. Les Anglais ont brûlé mes livres. Mais ce n'est pas grave, hein ?

Ils n'ont pas répondu. Mais j'avais pu leur parler. Ça ne m'était pas arrivé depuis si longtemps.

J'ai rejoint les autres. Ils dansaient la « hora ». Je les ai laissés danser. Uri était dans les bras de son père. Henri parlait avec Mordéchaï. Henri est venu me dire au revoir. J'ai fait un bout de chemin avec lui jusqu'au port. Je l'ai vu s'éloigner. J'ai traîné près du village arabe. Un vieil homme m'a abordé, en anglais.

– Ils vous ont libérés. C'est bien.

J'ai pensé, peut-être, mais demain c'est nous qui tirerons sur toi. Les armes sont toujours là, d'abord contre les Anglais, après contre toi. La Palestine sera juive. Eretz-Israël ne sera jamais une terre de paix. Et moi, je ne veux tuer personne, personne.

Le vieil Arabe m'a salué.

– *Salam !*

– *Shalom !*

J'ai marché jusqu'au kibboutz.

Je n'ai pas pipé mot à l'assemblée générale. J'ai accepté ma nouvelle affectation. Mordéchaï avait fait de moi le boulanger du kibboutz. Yoël m'apprendrait. J'ai appris. Yoël est allé s'occuper des vaches et des poulets. J'étais seul désormais, debout avant les autres, couché avant eux. Et personne pour me donner d'ordres. Seul Bébert venait me faire rire.

– C'est pour quand, les croissants ?

Il disparaissait.

Combien de temps allais-je rester prisonnier ?

Mordéchaï est bien venu me faire parler.

– Laisse-moi. J'ai besoin de rester seul. Ne t'inquiète pas, ça ne durera pas des mois. Je reparlerai aux autres.

Prémonition ?

Le fournil touchait à la salle à manger. Une fin d'après-midi, une ambulance est arrivée, précédée d'une jeep. Les camarades sont venus un à un, les portes de l'ambulance se sont ouvertes. Un brancard. Une forme cachée sous un drap. Les soldats ont posé le brancard par terre.

L'officier s'est tourné vers Mordéchaï, venu aux nouvelles.

– Je vous le laisse. Il est à vous maintenant. Il a tué deux soldats anglais.

Il a sauté dans sa jeep. L'ambulance a suivi.

Les enfants, au loin, chantaient « Sur le port de Haïfa, y a un crocodile ». Personne ne bougeait. J'ai tiré le drap. C'était Jacques, mon Jacques, mort. Je me suis accroupi. J'ai posé mon visage contre le sien. Je l'ai embrassé fort, fort, pleurant dans le cimetière.

Le soir même on inaugurait le silence. Le premier mort. Le premier éloge funèbre. Pourquoi a-t-il fallu que ce soit Sarah qui débite tant de conneries devant le trou béant ?

– Il est mort en combattant. Jacques, tu resteras dans notre cœur comme un héros de la résistance aux Anglais. Eretz te devra toujours reconnaissance. Tu as sacrifié ta vie pour que nous puissions vivre libres.

Elle a jeté la première poignée de terre. J'ai jeté la dernière. J'ai demandé qu'on me laisse avec Jacques. Assis près du tertre, je lui ai parlé comme il m'avait parlé aux jours de sa maladie, me racontant sa prison.

– Je t'aime, Jacques. Je t'aime. Je n'ai rien à te dire d'autre. Tu n'es pas un héros. Je pense que c'était une façon de te suicider. Je crois que tu es comme moi. Tu n'as pas supporté que tes libérateurs deviennent tes ennemis. Je ne sais pas si c'est plus courageux de vivre ou de mourir. Moi, je vais vivre. Toi, tu vivras aussi. Je parlerai de toi. Je te parlerai. C'est comme ça qu'on ne meurt pas tout à fait. Je t'emmènerai avec moi jusqu'à ma propre mort. Mes enfants te connaîtront aussi et tu vivras longtemps.

Je n'avais plus de larmes. J'ai caressé la terre de ma main. Je caressais Jacques.

J'ai quitté le cimetière. J'ai vu Mordéchaï.

– Je pars, Mordéchaï. Mon pays, c'est la France. C'est là que je suis né. Je ne veux plus entendre parler hébreu. Je ne crois pas à la paix. Il y aura encore du sang. Vous vous battrez contre les Arabes après, je le sais, tu l'as dit. La paix, Mordéchaï, la paix, c'est tout ce que je veux.

Il m'a regardé sans comprendre. Je venais de lui parler en français, la langue de l'école, la langue de mes copains, la langue de ma mère.

– David !

J'avais tourné les talons. J'ai rassemblé quelques affaires dans la tente. Je suis allé embrasser Uri. Je suis allé embrasser Bébert.

– Envoie une carte postale de Paname !

Il l'a dit sans rire. Il avait la France dans les yeux.

J'ai embarqué à Haïfa sur un cargo. J'ai souffert dans la soute pour payer mon passage jusqu'à Marseille. Le capitaine m'a payé le retour sur Paris.

Dans le train a jailli une idée folle. Et si mes parents n'étaient pas morts ? Si monsieur Brenner s'était trompé ? S'il n'avait pas reconnu mes parents ? Il avait l'air si fatigué.

Peut-être avais-je porté cette certitude depuis le premier jour. J'ai sonné chez lui. Il n'y avait personne.

J'étais rue de Paris, à Montreuil. Quelques pas encore et je verrais madame Bianchotti. J'ai grimpé les étages.

Elle a ouvert. Elle m'a regardé. Elle n'y croyait pas.

– Si, c'est moi. Je vous demande pardon.

Elle m'a enlacé.

Monsieur Rosenberg a fait un bond.

– David !

Il m'a serré de toutes ses forces.

– C'était mon chemin, monsieur Rosenberg, je ne pouvais pas faire autrement.

On m'a proposé des « réparations » pour la déportation de Lazare et de Clara. J'ai refusé. J'ai passé mon bac. Je serai professeur de français.

Le jour de la naissance de l'État d'Israël, j'ai pleuré de joie. J'ai pleuré de tristesse. C'était bien la guerre. Henri, Michel, Bébert, Mordéchaï, Sarah… Lequel d'entre vous allait mourir ?

CLAUDE GUTMAN
L'AUTEUR PARLE DE SON ROMAN

Les aventures de David ne pouvaient s'achever sur le simple constat du décès de ses parents. Non parce qu'il fallait une fin moins dramatique, mais parce que la guerre achevée, il existe l'après-guerre.

L'horreur des camps d'extermination, ce n'est que l'après-guerre qui va la révéler et les « survivants », dont David fait partie, doivent vivre une autre guerre, intérieure celle-là, faite de haine, de colère, d'abattement, pour commencer à faire le deuil des disparus.

L'histoire de David rejoint en grande partie la mienne. Si je suis né en Palestine britannique, c'est que mes parents ont cru pouvoir échapper à ce deuil en passant clandestinement la Méditerranée. C'est leur épopée, assez peu évoquée dans les romans, que j'ai voulu restituer : loin des clichés qui accréditent l'idée qu'Israël s'est construit sur un désir d'avoir un « pays-à-soi ». Ce n'est qu'un aspect du problème. Mes parents, tout jeunes, à l'issue de la guerre, n'avaient strictement aucune idée de ce qu'était le sionisme. Ils ont tout simplement fui la France où ils avaient été persécutés pour un Ailleurs qu'ils imaginaient meilleur. Mais fuir, c'est toujours emporter avec soi ses problèmes non résolus. Ils finissent nécessairement par réapparaître... Et c'est le cas pour David.

Il quitte la France en embarquant sur un vieux rafiot qui a réellement existé. Et pour ce qui concerne la liberté, il se retrouve dans un camp d'internement britannique. Certes, il va rejoindre un kibboutz, aider à la construction d'un nouvel État mais c'est au prix d'un deuil qu'il n'a pas commencé. Et, tout s'enchaîne. David a cru échapper à une guerre : il en retrouve une autre. David a besoin d'apaisement ; il se heurte aux disputes entre « clans » politiques. Et surtout, surtout, il se rend compte qu'il n'a toujours pas pris son destin en main. Il a été ballotté par l'Histoire. A lui de construire sa propre histoire, loin de tous les embrigadements. Il rentre en France, son pays natal…

Inspiré par le cheminement de mon père, de ma mère, né dans le kibboutz dont David parle dans son récit, *Rue de Paris*, c'était ma façon de retourner à mes sources. Ma propre histoire aurait sans doute pris un autre chemin si mon père n'avait pas repris le chemin du retour.

J'ai donc refait le chemin à l'envers, celui qui précède ma naissance.

Rue de Paris, c'est dire à chacun, mais à moi-même aussi, que chaque être humain naît avec des valises parfois bien lourdes à porter. Heureux ceux qui n'ont qu'un baluchon.

Après *La Maison vide* et *L'Hôtel du retour*, *Rue de Paris* est le troisième volet de la trilogie *La Loi du retour*.

PHILIPPE MIGNON
L'ILLUSTRATEUR

Philippe Mignon est né en 1948. Il entreprend des études d'architecture, puis décide de se consacrer à l'illustration. Il a notamment illustré plusieurs livres dans la collection Folio Junior. Pour la trilogie de La Loi du retour, de Claude Gutman, qui évoque des sujets graves, il a respecté le souhait de l'auteur, évoquer des objets, des lieux, des événements historiques, mais ne pas représenter les personnages principaux.

Les deux premiers volumes
de la trilogie **La Loi du retour**
dans la collection FOLIO **JUNIOR**

LA MAISON VIDE
n° 702

David les a vus, son père et sa mère, leur valise à la main, entre deux policiers. Il les a attendus, longtemps, longtemps. Lui, il dormait chez les voisins depuis des mois. C'est pour cela qu'il n'avait pas été emmené. 1944... David est vivant. il est rempli de douleur et de rage, et surtout habité par toutes ces voix contradictoires : « tu es juif, tu es comme tout le monde, tu es français, ils t'ont abandonné, il faut faire confiance, il ne faut jamais faire confiance. On est seul. On n'est jamais seul. » Il écrit pour comprendre.

(Prix Sorcières 1990, Lauréat IBBY-France, Prix du roman historique 1990)

L'HÔTEL DU RETOUR
n° 970

David, le héros de *La Maison vide*, a maintenant quinze ans. Réfugié dans un home d'enfants sous une fausse identité, il échappe de justesse à la rafle qui le prive de ses derniers compagnons. David est seul, taraudé par un immense désir de vengeance... Commence alors une longue année d'attente et d'errance. David espère toujours le retour de ses parents. Et un matin, il franchit le seuil de l'hôtel Lutétia, une photo à la main...

(Totem du livre de jeunesse 1991)

Faites le plein
de lecture
avec le magazine
jeBOUQUINE

Chaque mois, vous plongez dans un roman inédit, écrit par un auteur contemporain que vous aimez et vous retrouvez les héros d'un super feuilleton.

Vous découvrez une œuvre célèbre adaptée en bande dessinée et vous "rencontrez" son auteur pour tout savoir sur sa vie.

Et en plus, il y a de la BD !

James Bonk, Fernand le Vampire, et... et... comment elle s'appelle déjà ?

Ben, HENRIETTE, voyons !

Chaque mois, vous choisissez les meilleurs livres, CD, films et jeux vidéo.

En vente chez votre marchand de journaux ou par abonnement

10-15 ans

jeBOUQUINE

NOVEMBRE 2000 N° 201

Un roman de Marie Desplechin

Ma vie
d'artiste

*En BD :
L'idée du siècle
de Daniel Pennac*

BAYARD
JEUNESSE

GALLIMARD
JEUNESSE

Conception de mise en page : Marylin Gatepaille
Loi n°49-956 du 16 juillet 1949
sur les publications destinées à la jeunesse
ISBN 2-07-052621-6
Numéro d'édition : 90063
Numéro d'impression : 88377
Dépôt légal : novembre 2000
Imprimé par l'Imprimerie Hérissey, à Évreux